comment
dessiner

comment dessiner

José M.ª Parramón

Collection «Pratique du dessin et de la peinture»
publiée sous la direction de Marc A. Dumas
pour l'édition française

Bordas

Titre original de l'ouvrage: «Así se dibuja»
© José María Parramón Vilasaló. Barcelona, 1970.

_____

© Bordas, Paris, 1970 pour la traduction française.
ISBN: 204 00 2254-6,
Dépôt légal: avril 1983

La couverture de ce livre a été realisée
par José Plá Narbona.
La traduction est de Michèle Delamorinière.

Imprimé en Espagne par Egedsa, Roig de Corella 12-16,
Nave 1, Sabadell, en février 1983.
Dépôt Legal: B. 8434-83
Número d'Éditeur: 785

TABLE DES MATIÈRES

introduction

La collection que nous présentons offre de larges possibilités d'initiation et de formation. Elle s'adresse à tous ceux qui, individuellement ou en communauté découvrent les voies de la création artistique. «Genèses exquises», disait Valéry, non plus aujourd'hui réservées à une élite choisie, mais accessibles à tous ceux que l'effort créateur vivifie et exalte.

Guidé pas à pas, l'amateur solitaire ou l'animateur trouvera une réponse aux problèmes de technique qu'une réflexion créative ne manque pas de susciter. Ces ouvrages mettent à la disposition du public la palette la plus complète possible des différents moyens d'expression, décrivant l'outillage, exposant la technique, démontrant étape par étape les phases de la création et de l'exécution.

Les ouvrages consacrés à l'initiation aux techniques ont été rédigés le plus souvent sous la forme d'un cours direct. Chaque leçon se déroule d'une façon active. La théorie est suivie d'exercices pratiques expliqués, détaillés, aux difficultés progressives.

De nombreuses illustrations permettent spontanément de voir et de mieux comprendre l'évolution de la technique artistique. Des anecdotes apportent un délassement nécessaire tout en enrichissant les connaissances générales.

Un résumé des idées forces, des lois essentielles, termine souvent les chapitres-clés pour permettre une meilleure assimilation.

Puisse cette collection simplifier votre tâche dans la connaissance ou la pratique de votre choix.

Marc A. Dumas

ÉDUCATION DE L'OEIL

Comment mesurer et proportionner avec la sûreté d'un expert en dessin et en peinture

Dans la vie courante, la moindre perception fait appel à une série d'éléments complexes : situation, identité, reconnaissance d'un objet. A fortiori, éduquer l'œil est pour un peintre de la plus haute importance, afin d'arriver à une vision synthétique de l'objet. Il y a quatre cents ans, un artiste génial, Léonard de Vinci, parla de cette question dans son «Traité de la Peinture». Remarquons sa perspicacité, lorsqu'il dit à ses élèves :

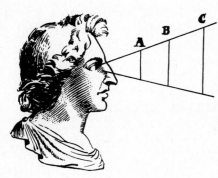

«Exercez votre coup d'œil et apprenez à apprécier la longueur et la largeur réelles des objets. Pour y habituer votre esprit, que l'un de vous trace à la craie une ligne droite sur le mur et que les autres s'entraînent à en calculer la longueur, placés à une dizaine de pas. Puis mesurez le trait ; celui qui aura indiqué la longueur la plus proche de la vérité sera vainqueur. Ce genre de jeux sert à former le jugement de l'œil, facteur fondamental en dessin et en peinture».

«Le facteur fondamental en dessin et en peinture»

Je me rappelle mes premiers temps d'amateur, alors que je n'avais pas ce jugement de l'œil dont parle Léonard de Vinci. A cette époque, j'ai vécu, moi aussi, le «drame du papier blanc», lorsque, face à mon modèle, n'ayant pas tracé une ligne, je ne savais littéralement pas quoi faire, ni par où commencer. On m'avait parlé de «l'encadrement»; on m'avait dit : «Commence par envisager toutes les formes comme si elles étaient des blocs ; mets-les dans des cadres et à partir de là, tu pourras construire tes formes». Mais je continuais à me demander : «Par où commencer, comment dois-je dessiner ces cadres et de quelle grandeur? Où, OÙ?» Et je me disais encore : «Il doit y avoir quelque chose avant l'encadrement ; quelque chose qui permette de sortir de cette terrible incertitude du papier blanc».

Avec le temps, j'ai trouvé que ce quelque chose était le calcul mental des dimensions. Puis j'ai compris que le second problème consistait à savoir réduire ou augmenter ces dimensions, c'est-à-dire proportionner. Et seulement ensuite —pas avant !— j'ai vu qu'il était possible de mettre en pratique ce qu'on m'avait dit des formes dans leurs cadres, de l'encadrement.

PREMIÈRE ÉTAPE : LE CALCUL MENTAL DES DIMENSIONS

Regardez, un artiste ! Un homme qui, selon toute apparence, a fait du dessin une profession. Nous allons le suivre, voulez-vous ?

Son carton et son siège sous le bras, il parcourt lentement la ruelle d'un village et se dirige tout droit vers un lieu choisi d'avance : la façade d'une vieille maison (voir l'illustration de la page suivante) par exemple.

Il arrive devant son modèle, s'arrête bizarrement en face, et en homme qui a le temps, le contemple au moins cinq minutes.

Sans cesser de regarder tantôt la grande porte, tantôt les balcons, il ouvre son carton d'un air réfléchi, installe son tabouret et s'assied.

Il continue à regarder son modèle. Près de lui, deux gosses attendent qu'il tire quelque chose du carton. L'un deux s'exclame : «Il ne peint rien du tout», comme s'il disait «Il est idiot». Lui, ne les entend pas : il est complètement absent.

Puis, avec une soudaineté surprenante, notre homme revient à la réalité. Il sort un papier blanc, le fixe avec des pinces, commence à sortir des crayons de ses poches, en choisit un... «Qu'est-ce que tu veux, petit ? Tu aimes dessiner ?» Il vient juste de voir les deux enfants.

Il regarde son papier, le parcourt du regard de haut en bas, comme s'il dessinait avec les yeux ; il lève la tête, observe de nouveau son modèle, caressant du regard les parties saillantes et rentrantes de la porte, des grilles, de la jalousie, des balcons...

Savez-vous ce qu'il est en train de faire ? Il calcule. Il calcule de tête «la longueur et la largeur réelles des objets», ainsi que Léonard de Vinci le recommandait. Il compare certaines distances avec d'autres, cherche des points de repère où appuyer les lignes maîtresses, tire des traits imaginaires pour déterminer la place de certains volumes, par rapport à d'autres...

Voilà en quoi consiste le calcul mental des dimensions. Je me permets de le répéter en l'indiquant sous forme de règle.

Le calcul mental des dimensions consiste à:

A	B	C
Comparer certaines distances avec d'autres.	Rechercher des points de repère où appuyer les lignes maîtresses.	Tracer des lignes imaginaires pour déterminer la place de certains volumes par rapport à d'autres.

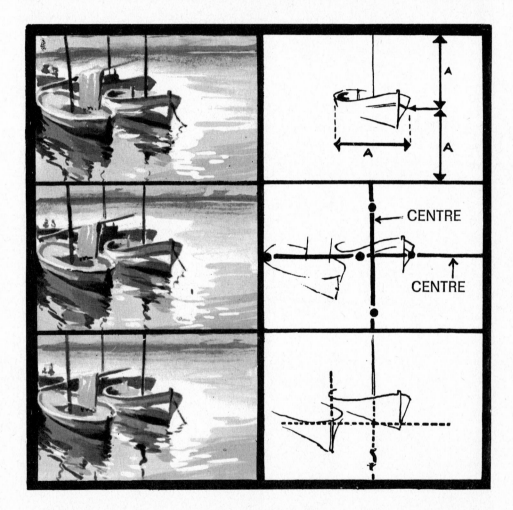

Ce serait extraordinaire de pouvoir pénétrer dans l'esprit de cet artiste, de suivre le fil de ses pensées, de savoir ce qu'il pense en poursuivant cet important travail d'observation et de mesure. Imaginons...

Lorsque notre homme est arrivé devant son sujet, il s'est mis à réfléchir ainsi :

Un ami me demande de lui exécuter un tableau pour son salon : une petite toile, très simple, très facile... Une petite porte d'entrée, un petit balcon... et une jalousie. Peu de perspective. Comme couleurs... du vert sur la jalousie, du rouge sur le mur. Une porte, un balcon, un autre... et un peu de toit.

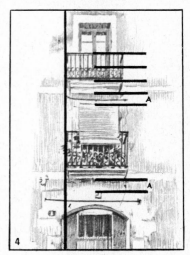

Voyons... une porte et deux balcons... Ont-ils la même hauteur ? Non, celui d'en haut est un peu plus petit. C'est la perspective. La porte est-elle aussi haute que le premier balcon ? Bien sûr que non : c'est la porte qui est plus haute. J'ai besoin d'un point de repère ! Porte, balcon... Ça y est ! La hauteur de la porte est égale à celle du premier balcon plus la partie du mur au-dessous. Exactement.

Et d'un balcon à l'autre ?... La moitié de ce qui sépare la porte du premier balcon, là où se trouve le numéro de la maison. Et il y a la même distance au-dessus du deuxième balcon. Une autre mesure égale, une seconde... et encore une... et j'ai la balustrade.

Une porte, un balcon, un deuxième... Une verticale... Un trait de haut en bas et tout est d'aplomb !

Une porte d'entrée rectangulaire. Largeur ? Hauteur ?... Plus haute que large. De la moitié ? Voyons : je dessine un carré ; j'en mets la moitié au-dessus. Et voilà, c'est très simple.

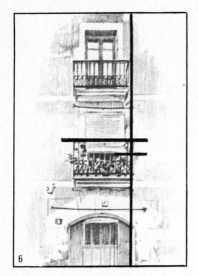

Les deux balcons ont-ils la même largeur ? Oui ; et ils sont un peu plus étroits que la porte. Une autre verticale... Je partage au milieu, un peu plus haut, et voilà la seconde balustrade. Le bas de la persienne est un peu au-dessous...

La porte d'entrée... la partie vitrée ...: un, deux, trois, quatre... Un et un, et le double au milieu... Quatre parties égales, plus petites au centre...: Ainsi une mise en place est terminée. Tout est correct et bien proportionné.

Ainsi, notre artiste fait un double calcul et l'un des deux ne se rapporte pas précisément aux dimensions. Je crois que nous avons vu ce qu'il faut faire, en principe, pour résoudre le problème du papier blanc.

Le comportement de l'artiste nous a prouvé qu'avant même de tirer le papier de son carton, il compare les dimensions, cherche des points de repère, trace des lignes imaginaires, met en place les volumes et commence à étudier ce qui lui servira, ensuite, à proportionner et à encadrer.

Mais trouve-t-on toujours ces points de repère dans tous les sujets ? Certainement. Pour vous en assurer, remarquez que, dans le sujet qui nous occupe —ou peu importe lequel—, vous trouverez toujours des distances correspondantes ou qui pourront être comparées.

Ce qu'il faut, c'est savoir les découvrir et les calculer à vue d'œil ; pouvoir dire : «Ceci mesure autant que cela, ou, c'est plus long, c'est deux fois plus long ou trois fois plus large... »

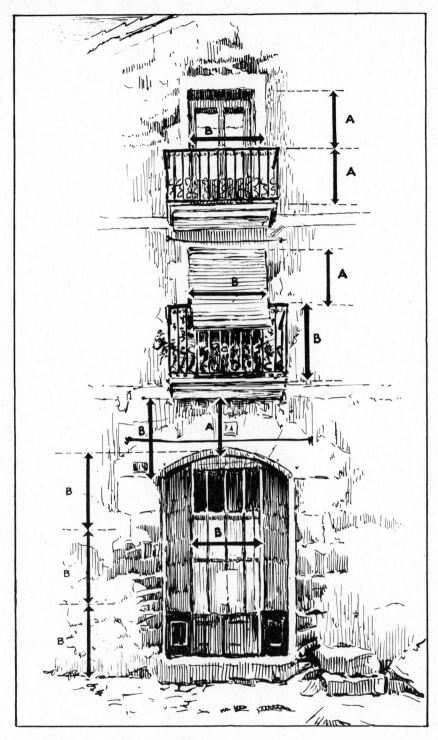

Dans ce sujet, comme dans tous les autres, il existe toujours des distances correspondantes ou comparables. Nous voyons par exemple, ici plusieurs mesures comparables entre elles, soit dans toute leur longueur, soit par moitié, tiers ou quart, etc.

Pour apprendre à calculer les distances à vue d'œil, il n'y a rien de mieux que de mettre en pratique le vieux conseil de Léonard de Vinci : ce que nous allons faire maintenant.

Comme vous le constaterez vous-même, ces exer-
cices sont innombrables. On peut les faire de très
nombreuses manières. Je me borne à vous en indi-
quer quelques-uns car je suis sûr que vous saurez
en imaginer d'autres et surtout que vous essaierez
de les effectuer, comme faisant partie —une partie
importante— de votre apprentissage.

Il conviendrait, autant que possible, que vous
fassiez ces exercices sur du papier de grand format ;
car, plus les traits que je vous propose seront grands,
plus la difficulté sera grande, et meilleure sera la
pratique que vous acquerrez, en calculant les distan-
ces à vue d'œil.

La qualité du papier et le numéro du crayon
n'ont ici aucune importance. Cependant, je vous re-
commande de travailler sur un tableau et de dessiner
à une certaine distance, le bras étendu et le bois du
crayon dans la main.

1. — Tracez une ligne horizontale d'environ vingt centimètres de long et, à
vue d'œil, partagez-la en deux par un
trait au milieu.

2. — Tracez une ligne horizontale d'environ quinze centimètres et, à côté
(non au-dessous), une autre ligne de
longueur égale.

3. — Tracez une ligne horizontale (toujours de quinze à vingt-cinq centimètres de long) et, à côté, une seconde
ligne moins longue.

4. — Tracez une ligne horizontale et,
à côté, deux segments verticaux qui,
ensemble, auront la même longueur
que l'horizontale.

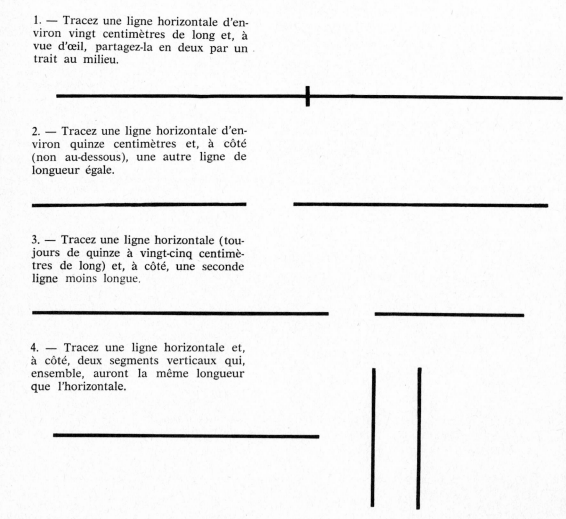

5. — Tracez un carré en tirant les traits qui le composent, dans l'ordre indiqué sur les images.

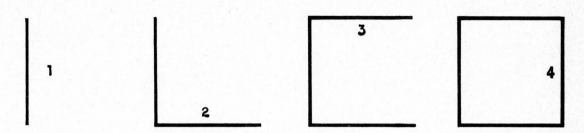

6. — Dessinez un autre carré, comme s'il s'agissait maintenant de la lettre «H», c'est-à-dire qu'il sera partagé par une horizontale en son milieu.

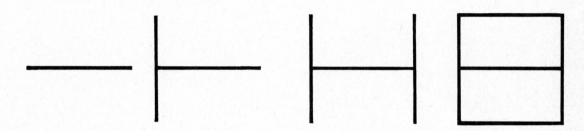

7. — Enfin —ce qui est déjà plus difficile—, commencez par tirer un trait vertical ; ensuite, dessinez une croix en forme d'X, en pensant que la distance AB sera le côté d'un carré ; puis dessinez les côtés, de manière à obtenir un carré avec une croix en X à l'intérieur.

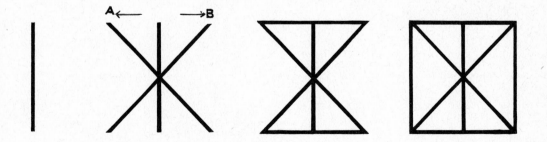

Effectuez chaque exercice, puis vérifiez si vous vous êtes plus ou moins trompé dans vos calculs. L'idéal serait que, à force d'exercices, vous arriviez à calculer sans erreur ou presque. Si vous y parvenez...

Observez sur cette page ces deux portraits de Churchill. Sur l'un d'eux, j'ai faussé volontairement le calcul des distances entre certaines parties. Entre les deux yeux, par exemple, j'ai presque laissé trois millimètres de plus ; le nez est trois ou quatre millimètres plus long. La distance entre le nez et la lèvre supérieure a été raccourcie...

Tel est le résultat d'une erreur de quelques millimètres dans le calcul des distances

Comprenez-vous maintenant l'importance de ce facteur, «le plus important en dessin et en peinture»?

Voyez en-dessous la même tête, avec les distances parfaitement calculées. Là, c'est vraiment lui. On ne peut pas dire : «Oui, ça lui ressemble... mais je ne sais pas ce qu'il y a, ce n'est pas lui».

COMMENT DÉTERMINER LES DISTANCES ET VÉRIFIER LEUR EXACTITUDE

Revenons à notre artiste du début.

Notre homme a déjà son crayon à la main ; il a tracé deux ou trois lignes. Soudain, il s'arrête, prend sa gomme et efface une des lignes...

Puis il lève verticalement son crayon à la hauteur de ses yeux, fait lentement glisser son pouce jusqu'en haut du crayon, prend des mesures et, lorsqu'il a obtenu —semble-t-il— la mesure voulue, le bras toujours tendu, il tourne sa main et place son crayon horizontalement.

Les deux garçonnets dont nous avons parlé suivent attentivement l'opération. Puis ils se regardent, stupéfaits, et s'en vont en commentant à voix basse : «Il est fou».

Mais non, pas du tout ! Lorsqu'il prend des mesures, lorsqu'il vérifie s'il s'est trompé dans ses calculs mentaux et qu'il compare presque au millimètre la largeur de ce portail avec sa longueur, notre homme a tout son bon sens...

C'est un système que vous devez pratiquer jusqu'à ce que vous le dominiez parfaitement. Exercez-vous tout de suite à comparer les dimensions de deux objets ou de deux formes devant vous. (Même si, sur les illustrations et dans les textes suivants, il n'est question que du crayon comme instrument de mesure, l'artiste peut utiliser ce qu'il a sous la main : crayon, pinceau, règle, etc.)

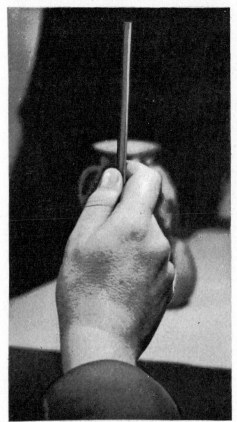

Fig. 9. — Prenez le crayon, la pointe dans la main, de sorte que la plus grande partie de la baguette soit visible.

Fig. 10. — Tendez votre bras entièrement. Attention, n'avancez pas le corps ! Placez le crayon juste devant votre œil droit et fermez le gauche.

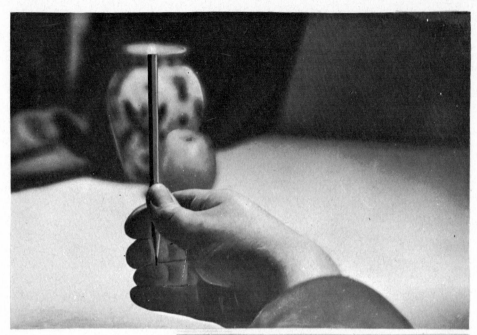

FIG. 11 et 12. — Placez maintenant votre crayon devant une partie du modèle et mesurez-en la hauteur, en faisant glisser votre pouce vers le bas ou le haut, jusqu'à ce que votre angle visuel vous montre que la baguette du crayon coïncide avec la hauteur du modèle.

FIG. 13. — Sans bouger votre pouce, cherchez alors sur le modèle une autre longueur égale à la première. Mais attention ! Pour que le calcul soit juste, il est indispensable de ne pas plier le bras et de ne pas avancer le corps.

Notre ami est déjà en train de tirer des traits avec une parfaite assurance.

De temps en temps, il revient au procédé du crayon, en fonction de ce que nous venons de voir ; il divise en parties, il prend des repères...

Il est en train de mesurer, et en même temps, de proportionner.

QU'EST-CE QUE PROPORTIONNER? COMMENT LE FAIRE?

> **C'est agrandir ou réduire les formes et les dimensions d'un modèle en conservant le rapport qui existe entre les différentes parties et l'ensemble.**

Autrement dit : proportionner, c'est en général dessiner plus petit ce qu'on voit grand, tout en maintenant, dans le dessin, les différences qui existent dans le modèle. Si par exemple on prend comme modèle une pomme et un vase et que celui-ci est deux fois plus haut que la pomme, on doit maintenir le même rapport entre les dimensions, si l'on veut que le dessin soit proportionné.

14

15

16

On voit le modèle en question sur l'image ci-jointe (Fig. 14) ; on voit également un dessin, où ce même modèle apparaît proportionnellement plus petit (Fig. 15) ; et un autre dessin où la disproportion est évidente (Fig. 16).

Untel a une tête très grande et on dit qu'il a une tête disproportionnée (par rapport aux dimensions du corps et à celles d'une tête normale). Contemplez une statue classique des sculpteurs de la Grèce antique et vous constaterez que les dimensions de la tête, du tronc, des bras, des jambes, des mains, etc., correspondent à des dimensions parfaites, à des proportions idéales.

Jusqu'ici, pas de difficulté. Le problème —celui qu'est en train de résoudre notre ami l'artiste —apparaît au moment où vous voulez réduire votre modèle *précisément à la mesure de votre papier*, en gardant les proportions exactes.

Fig. 17. — Albert Dürer : Peintre du XVIᵉ siècle dessinant à l'aide d'un écran de verre quadrillé.

Albert Dürer, dessinateur, graveur et peintre allemand du XVIᵉ siècle, en vint à inventer plusieurs appareils pour résoudre le problème de la transposition des dimensions et des proportions du modèle sur le papier. L'un d'eux consistait en un écran de verre quadrillé qu'il mettait dans un cadre et plaçait entre son modèle et lui. Il reportait le quadrillage sur son papier et, ajustant son angle visuel sur un point de mire, il «copiait» d'après le verre.

J'ai eu l'occasion, il y a peu de temps, de voir un instrument ingénieux pour établir les proportions lorsqu'on dessine d'après nature. Il rappelle l'appareil d'Albert Dürer et consiste en un cadre constitué par deux cartons, dans lequel s'entrecroisent quatre fils qui forment un quadrillage simple. L'artiste reproduit ce même quadrillage sur le tableau qu'il va peindre ; puis, encadrant le modèle avec le cadre de carton, il transpose l'image vue à travers le quadrillage.

Je n'entre pas davantage dans les détails, car il ne me semble pas opportun de nous servir de ces procédés pour le moment, alors que nous faisons les premiers pas pour apprendre à mesurer et à proportionner. En comparant cet apprentissage à celui de l'équitation, je crois qu'il est mieux d'apprendre d'abord «à cru». Nous mettons ensuite la couverture et même la selle, pour chevaucher plus confortablement.

«À cru», sans autre instrument que la vue, revenons à la façade de notre vieille maison.

La première chose que l'artiste doit se demander devant un modèle de ce genre est : «Quelle est la partie qui doit entrer dans mon dessin ? Depuis où, et jusqu'où ?»

Cette question posée, vous devez choisir dans le modèle deux points de repère, pour limiter la hauteur et deux autres pour la largeur. Il y a toujours une légère saillie, une pierre, une faille, quelque chose qui peut servir de point de repère (Fig. 18 ; points A et B).

FIG. **18**. — La vue embrasse toute cette image, mais nous, choisissons pour notre dessin tout ce qui est compris entre les points A et B. Puis, divisons la hauteur choisie en parties égales, commençant ainsi à calculer dimensions et proportions.

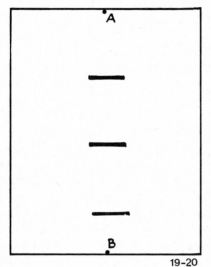

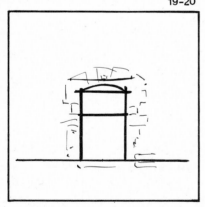

FIG. **20**. — Le calcul des dimensions et des proportions se poursuit, lorsque nous mesurons la hauteur de la grande porte, pour essayer de trouver sa largeur.

Vous y êtes ? Bien. Il s'agit maintenant de mesurer avec le crayon —le bras tendu, le corps immobile, ne l'oubliez pas— de façon à diviser la hauteur du modèle en parties égales. Cela n'a rien de difficile et ne présente aucune complication. Vous trouverez dans tous les modèles des points de repère, qui vous permettront de mener à bien cette division. Le mieux toutefois est de prendre pour base une mesure très simple dans le modèle. Dans notre cas par exemple, c'est la hauteur de la porte. Portons cette même hauteur vers le haut autant de fois qu'il est nécessaire ; et nous en concluons que la hauteur totale de la partie du modèle que nous allons dessiner mesure presque exactement trois fois la porte, alors qu'il reste dans la partie inférieure un peu moins d'une demi-porte (Fig. 20).

Ce sera le premier calcul de proportions que nous transposerons sur le papier. Nous nous servirons d'un ruban de papier ou du crayon pour porter la mesure obtenue avec le pouce. D'ailleurs... si vous vous exercez beaucoup à faire ces exercices de calcul des dimensions à vue d'œil, comme ceux que nous avons vus précédemment, il ne vous sera pas difficile de diviser un espace déterminé, en trois ou quatre parties. De toute façon, il est nécessaire que vous sachiez le faire ainsi : à vue d'œil.

Puis, sans cesser de calculer et de transposer sur le papier les proportions, nous vérifierons, toujours, grâce au procédé du crayon comme instrument de mesure, si la largeur de la porte est réellement égale aux deux tiers de sa hauteur. Divisons à vue d'œil —et toujours ainsi—, la hauteur de la porte en trois parties ; déterminons-en la largeur en prenant deux de ces trois parties... et nous avons les proportions de la porte transposées sur notre dessin (Fig. 21, page précédente).

Je m'arrête. Je ne ferais rien d'autre que répéter les calculs que notre ami l'artiste a faits de tête pour obtenir les mêmes résultats. Pensez seulement qu'en se servant du crayon pour mesurer, on peut comparer, diviser, doubler, transposer, etc., en appuyant certaines dimensions sur d'autres, comme si l'on dévidait un écheveau.

Et nous pouvons maintenant parler de l'encadrement ! Nous avons déjà une base des références minimales —que d'ailleurs on obtient en très peu de temps—, sur lesquelles nous pouvons nous appuyer pour continuer notre travail et commencer à construire.

ENCADRER : METTRE DANS DES CADRES, DANS DES VOLUMES

Tout peut être entouré de formes carrées ou rectangulaires que nous appellerons «cadres». Tout peut être «encadré» : un personnage, un tabouret, une maison, une lampe, une orange, un melon..., tout (Fig. 22).

Et tout objet, forme ou sujet, peut être «réencadré», c'est-à-dire qu'on peut entourer ses différentes parties de cadres plus petits.

Cependant, «encadrer» ne signifie pas construire un «cadre» assez grand pour que le modèle entier y soit contenu. Au contraire, l'artiste doit avoir suffisamment de bon sens pour n'encadrer que les lignes ou les formes essentielles.

Remarquez maintenant combien il est aisé de calculer les dimensions, une fois établi le cadre extérieur du sujet ; nous l'avons déjà fait en calculant les dimensions à vue d'œil, et en les vérifiant avec le crayon.

Observez par exemple le processus qui suit «l'encadrement» du balcon, avec sa persienne sur la façade de la vieille maison.

Les calculs antérieurs nous permettent de déterminer la place et les dimensions du «cadre» qui doit enfermer le balcon.

Cherchons une ligne, qui se trouve au centre du cadre ou presque ; avec le crayon à mesure, nous trouvons celle du bord de la jalousie.

Nous constatons que, du bord de la jalousie au rebord du balcon, on a la même distance que du point A au point B, c'est-à-dire du sommet au bas du balcon.

Portons cette même mesure du côté gauche : nous obtenons la verticale, qui limite la jalousie de ce côté. Par comparaison, nous pouvons en tracer une seconde, qui limitera l'autre côté.

Cette même mesure portée vers le haut, nous permet de mettre en place la balustrade en fer forgé et de déterminer avec exactitude la place de la tige en fer située au-dessus de la jalousie.

Combien de barreaux a le balcon ? Un, deux, trois… douze. Qui est incapable de diviser un intervalle donné en douze parties égales ?

C'est très simple. On divise d'abord en deux parties, puis chaque moitié en trois, enfin chaque nouvelle partie en deux, et ça y est. Il ne reste plus maintenant qu'à mettre en place les parties décrépies, celles de la grille en fer forgé, les pots de fleurs, les fleurs… Tout est prêt pour le jeu des lumières et des ombres !

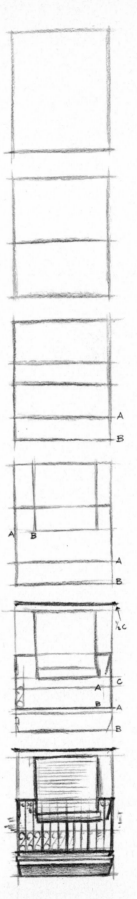

LA PARTIE DIFFICILE DU PROGRAMME

Lorsque le modèle est compliqué.
Lorsque les dimensions « échappent».
Lorsque le millimètre compte.
Lorsque les cadres «n'encadrent» pas.

Mon ami, nous avons abordé le problème de «l'éducation de l'œil» avec un modèle relativement simple. Regardez : les parties saillantes —la porte d'entrée, un balcon, l'autre— sont peu prononcées ; on peut dire que le jeu lumière-ombre n'existe pas ; les éléments qui interviennent ici présentent des formes presque géométriques, ils sont en général dessinés par des lignes droites. C'est très simple et très facile.

Il fallait que ce soit ainsi pour que vous puissiez aborder ces problèmes par la grande porte, et aller peu à peu, au fond de la question. D'autre part, il convient que pour vos premiers essais —face à un modèle d'après nature—, vous en restiez aux sujets de ce genre ; par ailleurs, ils ne sont pas à dédaigner sur le plan artistique.

Par la suite, au fur et à mesure que vous progresserez dans votre étude, vous aborderez des thèmes plus compliqués où la profondeur tiendra une place, où les dimensions, quoique moins concrètes, devront être reproduites avec une fidélité absolue ; la variété, la taille ou l'importance de chaque forme rendra alors impossible la méthode courante de l'encadrement.

C'est le portrait qui est le plus représentatif de ces difficultés. Vous pouvez commettre des erreurs de mesure dans la façade d'une maison, le dessin d'un arbre, d'une montagne ou d'une cruche : elles passeront sûrement inaperçues. Car... un millimètre de plus ou de moins... Quelle importance peut avoir une inexactitude dans la largeur d'une porte? Mais deux ou trois millimètres de plus ou de moins dans la longueur d'un nez, ça compte! La physionomie, la ressemblance avec le sujet peuvent en être changées. D'autre part, comment mettre dans des «cadres» des formes de si petite taille —et pourtant si importantes— qu'un œil ou des lèvres?

Comment encadrer les rides, les parties saillantes ou creuses des pommettes et des joues, dessinées par le jeu de la lumière et de l'ombre?

Ce sera la partie ardue du programme. Quand vous pourrez l'aborder sans difficulté, vous serez en mesure d'affirmer que vous avez acquis cette habitude du professionnel : mesurer et calculer, à vue d'œil, distances et proportions.

VOTRE MODELE EST DEVANT VOUS

Imaginez que le célèbre physicien, le grand mathématicien, inventeur de la théorie de la relativité et père de l'ère atomique, Albert Einstein lui-même, est en train de poser devant vous. Pour que l'illusion soit complète et que vous puissiez suivre ce développement pas à pas, retirez cette photo et placez-la devant vous en l'appuyant contre un support.

Pendant que j'écris ces lignes, j'ai également ce portrait devant moi.

Etudiez d'abord le processus que j'ai suivi, puis essayez de le mettre en pratique. Même si les résultats obtenus ne sont pas satisfaisants, vous vous serez exercé et vous pourrez vous en souvenir par la suite pour appliquer ces données à des sujets plus simples. Car c'est de cela qu'il s'agit.

Dix minutes consacrées à observer

Papier, crayon et gomme sont prêts. Mais vous savez déjà qu'avant de vous mettre à dessiner, vous devez observer attentivement le modèle et commencer par ce processus d'assimilation qui vous permettra de mieux saisir dimensions et proportions, c'est-à-dire, dans ce cas, la ressemblance la plus juste.

Voyons, laissez-moi penser à voix haute, tandis que j'observe le modèle :

«Si je divisais l'image par une croix, j'aurais la tête dans l'angle supérieur gauche et les mains à droite, presque dans le cadre inférieur. Cela commence à me donner une idée de la place de ces deux éléments essentiels. Je vois la distance approximative entre le côté droit de la tête et le bord du tableau (distance indiquée sur la figure 24 par les points A et B). A vue d'œil, sans rien concrétiser, je peux tenir pour bon le calcul suivant : la distance A-B est presque égale à la largeur totale de la tête… Celle-ci est peut-être un peu plus large».

Fig. 24. — Le début du calcul mental des distances consiste à essayer de trouver —et nous y arrivons!— des formules, pour partager l'image et simplifier mesures et proportions; à trouver des points de repère où appuyer la première série de calculs des mesures; cela nous permettra d'encadrer, de construire bref, de dessiner le modèle, jusqu'au moindre détail.

«... On peut dire que la tête «entrerait» à peu près dans un cadre carré. De même pour les mains (Fig. 25).

«Tête et mains sont un peu inclinées vers la droite...» (Fig. 25).

«Si je traçais une horizontale (légèrement inclinée) à la hauteur des yeux, et si je la prolongeais des deux côtés, d'un bout à l'autre du tableau, j'obtiendrais la place du favori et de l'oreille d'un côté, de la partie supérieure de l'autre. Une autre ligne —parfaitement horizontale celle-là—, qui traverserait le tableau à la hauteur de la couture de l'épaule, me donnerait la place du poignet du pull-over» (Fig. 26).

Le calcul mental des dimensions disparaît maintenant, pour faire place à un travail non moins important :

La recherche de formes simplifiées et la comparaison entre elles des dimensions de ces formes les unes par rapport aux autres.

Je m'explique :

Tout modèle, si compliquées que soient ses formes, offre la possibilité d'être analysé, comme s'il s'agissait d'un casse-tête. La seule chose à faire est de trouver et de séparer cette série de pièces qui, réunies, composent l'ensemble.

Comme vous pouvez le voir sur la figure 27, il est possible et *facile*, à partir de traits, de contours et de limites lumière-ombre, de trouver des formes simples, rappelant souvent des formes géométriques.

Si vous êtes capable d'analyser ces formes, comme s'il s'agissait de parties isolées, il vous semblera facile de déterminer dimensions et proportions. En comparant «votre forme» —telle qu'elle se trouve sur votre dessin— et la forme réelle du modèle —telle qu'on peut la voir sur lui—, vous pourrez alors rectifier, déterminer, rendre exactement la ressemblance.

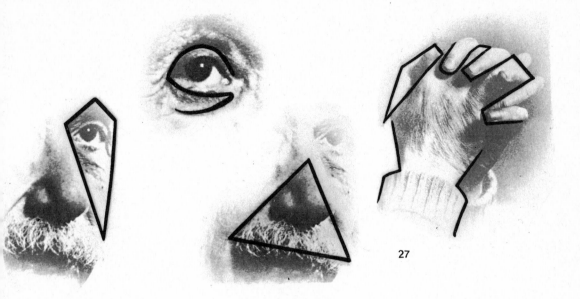

27

Prenons un exemple. Concentrez votre attention sur la partie du modèle où se trouve l'œil gauche —gauche pour nous ; pour le modèle, ce sera le droit—. Là, si vous prenez l'ensemble formé par l'œil et le sourcil, ne voyez-vous pas un demi-cercle ?

Bon. Supposons maintenant que vous ayez déjà construit cette partie du portrait d'Einstein. Alors...

...si votre demi-cercle est celui-ci...

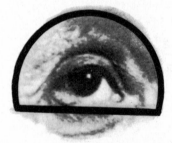

...et celui du modèle celui-là...

...vous savez que c'est ici qu'échappe la ressemblance, que votre dessin n'est pas tout à fait correct et que vous devez le corriger jusqu'à ce que vous *obteniez le demi-cercle que vous voyez sur le modèle*.

L'avantage du système saute aux yeux. On pourrait le résumer par ces mots :

Il est plus facile de calculer et de comparer des dimensions à partir de formes simples plutôt que de le faire à partir de formes compliquées

Au fait, où en étions-nous ? Ah ! oui ! Nous en avions fini avec le travail préliminaire d'observation.

Nous allons commencer à tirer des traits...

L'idée de diviser l'espace sur lequel je dois dessiner en quatre parties

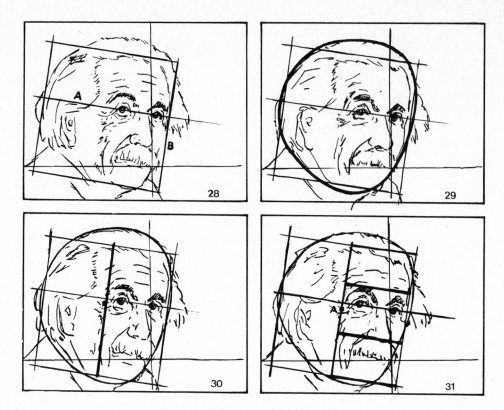

par une croix, et le calcul mental fait précédemment, me permettent de déterminer avec assez d'exactitude la place et les dimensions du carré qui contiendra la tête :

En effet, j'ai tracé la ligne transversale (A), qui se trouve à la hauteur des yeux, et sa perpendiculaire (B), qui limite le cadre du côté droit en déterminant l'inclinaison de la tête. Sitôt après, à vue d'œil, j'ai mis en place et tracé le cadre de la tête (Fig. 28).

En me servant du crayon comme instrument de mesure, je compare la hauteur totale de la tête avec sa largeur. Je constate alors qu'elle est un peu plus haute que large. Je vois que la partie supérieure des cheveux dépasse le cadre. Cela me permet de tracer une circonférence avec les variantes nécessaires pour qu'elle s'ajuste aux contours de la tête du modèle (Fig. 29).

Je cherche ensuite un point de repère vers le centre de la tête. Le voilà ! Il saute aux yeux : c'est l'endroit où finit le sourcil de l'œil gauche —œil droit du modèle—. Le centre théorique du cercle qui encadre la tête s'y trouve presque exactement. Je le vérifie à l'aide du crayon ; je mesure et je détermine encore plus précisément la place de ce point essentiel. Puis, je trace un nouveau cadre dans le premier, qui contiendra les traits les plus importants du visage : les yeux, le nez et la bouche (Fig. 30).

Pour déterminer la place approximative de ces éléments, je mesure la hauteur du front et je la reporte vers le bas.

Le visage est alors divisé en trois parties.

Elles ne sont peut-être pas exactes, mais l'essentiel est atteint : déterminer à vue d'œil la hauteur du front (Fig. 31).

A partir de cette ligne et du point A trouvé précédemment, je dessine les sourcils. Je place les yeux. Ce n'est pas difficile... L'œil droit est encadré par le sourcil lui-même. Entre l'œil droit et l'œil gauche, il doit forcément y avoir la place d'un autre œil (règle anatomique). La largeur de l'un est presque égale à celle de l'autre...

Je constate ensuite que la longueur du nez est égale à la largeur des yeux. A vue d'œil, je trace le profil du nez, j'en dessine la partie inférieure; je mets aussi en place la moustache, la commissure des lèvres, la pointe du menton et le contour du visage, qui se trouve près des mains (Fig. 32).

32

MAINTENANT, HALTE!

nous allons tracer des lignes imaginaires...

Nous allons réviser et rectifier ce qui a été fait. Pour ce faire, rien de mieux que de chercher sur le modèle des formes simples, là où elles sont compliquées. En même temps, nous appliquerons la formule continuellement utilisée par le professionnel, qui consiste à tirer des lignes imaginaires entre les diverses parties. Commençons par les formes simplifiées :

(Suivez cette analyse de formes simplifiées en observant le modèle).

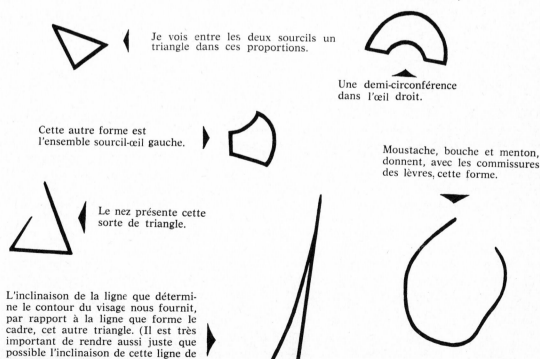

Je vois entre les deux sourcils un triangle dans ces proportions.

Une demi-circonférence dans l'œil droit.

Cette autre forme est l'ensemble sourcil-œil gauche.

Moustache, bouche et menton, donnent, avec les commissures des lèvres, cette forme.

Le nez présente cette sorte de triangle.

L'inclinaison de la ligne que détermine le contour du visage nous fournit, par rapport à la ligne que forme le cadre, cet autre triangle. (Il est très important de rendre aussi juste que possible l'inclinaison de cette ligne de contour... ce qui est très facile en suivant ce système.)

Continuons maintenant, en utilisant la formule qui consiste à tracer des lignes imaginaires.

Ce n'est pas nouveau pour vous. Je vous ai donné la règle dès les premières pages de ce chapitre. Vous en souvenez-vous ? «Tracer des lignes imaginaires pour déterminer la place de certaines formes par rapport à d'autres».

La largeur totale du nez, par exemple, nous est donnée par les deux points marqués sur la figure. Si je traçais deux lignes à partir de ces points, j'obtiendrais la place exacte du nez, dans sa partie inférieure la plus large.

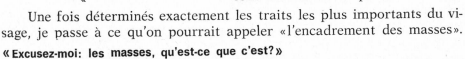

Si je trace une autre ligne imaginaire parallèle aux deux précédentes, du coin externe de l'œil gauche vers le bas, j'aurais la place de la commissure des lèvres.

Pour déterminer la courbe de cette commissure, il suffirait de tirer une autre ligne imaginaire (il faut l'imaginer, faites un effort) jusqu'au point A de l'image. Enfin, grâce à ce système de lignes supposées (que vous pouvez bien sûr reproduire sur votre dessin pour obtenir une plus grande exactitude), je vérifie si les yeux, les sourcils, le nez et la bouche sont correctement placés.

Une fois déterminés exactement les traits les plus importants du visage, je passe à ce qu'on pourrait appeler «l'encadrement des masses».

« Excusez-moi: les masses, qu'est-ce que c'est? »

C'est moi qui vous demande de m'excuser. Il y a longtemps, un élève me posa la même question, et je ne vais pas la laisser ici sans réponse. Si vous la connaissez, passez outre, sinon...

Pour comprendre ce que nous, professionnels, entendons par «masse», il faut parler de «ligne» et de «tache». Ne confondons pas :

Voilà une ligne Voilà une tache Voilà une masse

ALBERT EINSTEIN

Il n'est pas nécessaire d'expliquer ce qu'est une ligne. Une tache dans le jargon du métier, c'est un ton, une tonalité soit isolée, soit prise dans un ensemble. On dit de telle ou telle œuvre qu'elle est «bien tachée» ou qu'elle a «peu de taches», selon que les tonalités obtenues traduisent plus ou moins le message de l'artiste.

Quand on analyse *la place d'une tache dans le tableau*, il s'agit alors de «masse».

Les «masses» déterminent la composition de l'œuvre. Ce sont les blocs des ombres et des lumières vus sans détails, sans tenir compte des estompages ni des dégradés.

On comprend ce que c'est qu'«encadrer» par masses. C'est évident ; si la «masse» est *le schéma de la lumière et de l'ombre situées exactement dans le tableau*, «encadrer par masses» reviendra à déterminer les dimensions et les proportions à partir de la simplification du jeu des lumières et des ombres qui existent dans le modèle.

Cette parenthèse faite, continuons à dessiner.

L'encadrement par masses me procure la satisfaction de commencer à «voir» le modèle sur mon dessin (Fig. 34). En effet, si je noircis les yeux, le nez, la joue, le dessous du menton, etc., le dessin prend du volume, commence à vivre ; je suis bien plus capable qu'avant d'analyser le travail réalisé jusqu'ici. D'autre part, le sens de la proportion instinctive pénètre de plus en plus dans mon esprit...

«Le sens de la proportion instinctive»?

Parfaitement. En dessinant avec méthode, en comparant sans cesse les distances, en traçant des lignes imaginaires, en cherchant des points de repère, en suivant enfin les systèmes que je propose, il arrive un moment où «l'on saisit la proportion dans l'air»: on finit par reporter les mesures, de façon presque instinctive.

Au début, il y a une véritable barrière, qui empêche d'y voir clair. Les proportions sont mal déterminées, telle partie est trop petite par rapport à telle autre. Nous traçons le cadre général du visage, par exemple, et au moment de dessiner les traits, nous nous apercevons que le cadre est beaucoup trop grand... Par la suite —et non sans effort—, la barrière initiale tombe. C'est comme si vous entendiez une mélodie nouvelle qui vous devient de plus en plus familière au fur et à mesure que vous l'écoutez.

Voilà ce que j'appelle *le sens de la proportion instinctive*. Il existe sans aucun doute; grâce à ce facteur, nous sommes de plus en plus capables de déterminer exactement distances et mesures, de rendre de plus en plus parfaitement la ressemblance avec le modèle.

La ligne située à la hauteur des yeux me donne la place du cadre correspondant au tracé des mains. Pour déterminer les dimensions de ce cadre et sa place exacte, il ne reste plus alors qu'à tracer des lignes imaginaires et à comparer les mesures en reportant sur la grandeur et la largeur des mains, les dimensions trouvées pour le visage. J'esquisse rapidement les doigts, la forme et la position des mains.

Je passe aussitôt à ce travail bien connu qui consiste à chercher des formes simplifiées pour les mains.

Enfin, suivant le même ordre d'opérations, je trace les lignes maîtresses du corps, j'encadre les ombres par masses, j'étudie et je compare les formes tout en les simplifiant.

AVANT DE BAISSER LE RIDEAU...

Est-ce fini, pouvons-nous commencer à ombrer, à mettre en valeur, à construire réellement ? Pas du tout ! Une dernière révision est indispensable ; c'est la plus importante, celle qui doit vous donner la ressemblance définitive avec le modèle. Et remarquez que ce conseil ne vaut pas seulement pour les portraits. Dans tout dessin, quel que soit le modèle —personnage, paysage, nature morte—, vous devez faire une véritable halte en chemin, avant de considérer comme achevé votre travail de dimensions, de proportions et d'encadrement.

«—Il faut laisser au temps le temps de vous faire voir les grandes et petites erreurs de votre travail», disait le Titien à ses élèves. Et le Titien suivait rigoureusement ses propres conseils. Il avait l'habitude de poser, face au mur, le tableau qu'il venait de peindre et de ne lui «rendre visite» —le revoir— comme il disait, que «lorsque le temps, pendant lequel la conscience s'endort et où tout apparaît différemment, s'était écoulé».

Je ne vous en demande pas tant, mais lorsque vous en serez arrivé là, cessez de travailler, prenez quelques instants (ou mieux, reprenez votre travail seulement le lendemain); vous reviendrez à votre tâche «la tête claire et l'esprit plus dispos».

Menez alors à bien cette dernière séance de «distances comparées», qu'elle soit aussi longue que possible. Vérifiez la longueur d'une des parties que vous avez dessinées, et comparez-la avec celle qui lui correspond dans la réalité, sur le modèle.

Agissez ainsi :

Placez-vous de manière à voir, sans bouger la tête, votre dessin et votre modèle d'un simple et rapide mouvement des yeux.

(Relisez, je vous prie, le paragraphe qui précède. Il est très important.)

Puis, observez par exemple sur votre dessin, la longueur du nez par rapport à l'espace qu'occupent les yeux.

Regardez ces deux parties de votre dessin fixement, comme si vous étiez obsédé, jusqu'à ce que vous parveniez à «apprendre par cœur» leur place et leurs dimensions, que vous avez vous-même déterminées. Vous devez pouvoir fermer les yeux et retenir l'image, comme si vous étiez toujours en train de la voir. Vous devez photographier cette image dans votre cerveau.

Et vite, passez au modèle !

Efforcez-vous de «superposer» l'image de votre dessin sur celle des yeux et du nez du modèle. Comparez vos dimensions, celles que vous avez dessinées, avec les mesures réelles du modèle !

Vite, revenez de nouveau à votre dessin ! Passez encore au modèle ! Et de nouveau à votre dessin ! Imaginez le mouvement de vos yeux allant et venant de votre dessin au modèle, du modèle à votre dessin, puis encore au modèle, pour comparer,

COMPARER
COMPARER

...sans arrêt, jusqu'à transformer cette habitude de comparer les dimensions en véritable obsession, et à éprouver cette angoisse que cause un problème à moitié résolu. Mais en goûtant aussi le plaisir de dominer la forme, de l'enchaîner, de la dompter à loisir !

C'est ici que commence à se faire sentir cette démangeaison interne de l'inspiration artistique, si difficile à expliquer ! Quelque chose comme un son intérieur de grelots qui croît de plus en plus et vous oblige à sourire sans motif apparent.

Quelle chose extraordinaire que le dessin !

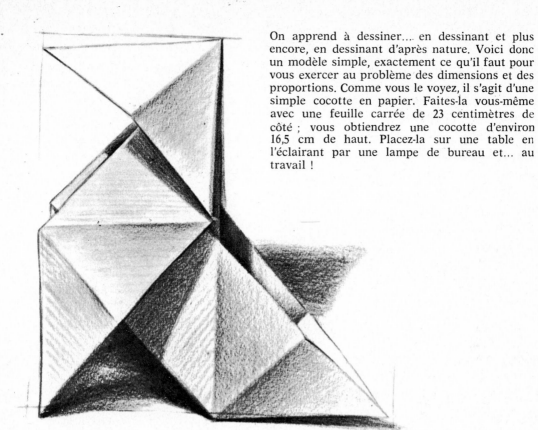

On apprend à dessiner.... en dessinant et plus encore, en dessinant d'après nature. Voici donc un modèle simple, exactement ce qu'il faut pour vous exercer au problème des dimensions et des proportions. Comme vous le voyez, il s'agit d'une simple cocotte en papier. Faites-la vous-même avec une feuille carrée de 23 centimètres de côté ; vous obtiendrez une cocotte d'environ 16,5 cm de haut. Placez-la sur une table en l'éclairant par une lampe de bureau et... au travail !

Dessinez-la d'abord de profil, puis essayez de la saisir de trois quarts.

UN EXERCICE COMPLET

Cet exercice vraiment utile consiste à dessiner une chaise. Avez-vous déjà essayé de dessiner une chaise? Choisissez une chaise quelconque chez vous; pensez que ces brèves recommandations valent pour résoudre l'encadrement et la construction de n'importe quel modèle de chaise, tabouret, etc. Ce problème se réduit essentiellement dans la suite de la démonstration aux aspects suivants:

La figure ci-contre I nous montre le schéma de construction que vous devez mener à bonne fin pour dessiner une chaise. Sur les schémas ci-dessous (II, III, IV), vous pouvez voir le processus à suivre pour obtenir le schéma mentionné en I.

Remarquez, en I et II, que la construction commence avec le dessin d'un cube en perspective. Considérez à ce propos que, si vous vous placiez d'un autre point de vue, face à la chaise que vous allez dessiner et que si, regardant devant vous, vous essayiez de repérer la ligne d'horizon, vous trouveriez cette ligne à un niveau égal à celui indiqué en I, c'est-à-dire à peu de distance de la hauteur maximale de la chaise. Cette ligne d'horizon une fois située, il vous suffira de dessiner toujours en perspective un rectangle, qui corresponde au dos de la chaise (comme vous pouvez le voir en III) pour en terminer avec le schéma de base; à partir de ce schéma, il est possible de dessiner parfaitement n'importe quel modèle de chaise ou de siège.

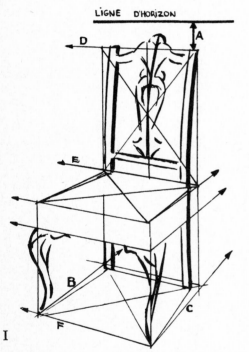

I

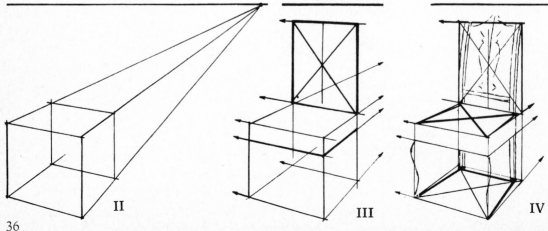

II   III   IV

LE MODÈLE N'EST PAS D'ACCORD

Classe de dessin de nu d'après nature;
le professeur
était ce soir-là, en train d'indiquer sa pose au modèle.
—Non, non. Levez davantage le bras; la tête plus haute;
la jambe droite un peu plus en arrière...
Nous étions là une trentaine d'élèves réunis et nous
suivions en silence les préparatifs.
C'était un modèle qui posait pour la première fois.
Soudain, tandis que le professeur l'observait de loin en silence,
quelqu'un s'exclama:
—On dirait un enterrement!
Ce fut un éclat de rire général.
—Ça suffit! ordonna le professeur. Et s'adressant au modèle:
—Ne bougez pas, ça va!
Le modèle resta ainsi, debout, rigide, presque au garde-à-vous.
Tout le monde se mit à dessiner. Mais cinq minutes
ne s'étaient pas écoulées que le modèle descendit, très
décidé, de l'estrade et disparut par la porte du fond,
sans plus d'explications.
Notre perplexité fut de courte durée. La jeune fille réapparut
au bout d'un moment, rhabillée, en disant très troublée:
—Que je me mette là telle que Dieu m'a faite;
que vous plaisantiez, d'accord! mais qu'on se moque
de moi en dessinant sur ces papiers un cercueil et qu'on m'y
mette...Ça non, je ne le permets à personne!
Vous entendez?
—Mais, intervint un élève, c'est l'encadrement. On encadre
d'abord et après...
—Eh bien! moi, vous ne m'encadrerez pas!
Vous avez compris? Et elle sortit en claquant la porte.

Comment construire et ENCADRER en dessinant d'après nature

POURQUOI FAUT-IL ENCADRER?

L'encadrement est indispensable, car c'est grâce à lui que l'œuvre est proportionnée. Si l'on prend l'exemple d'un portrait, seul l'encadrement permet la proportion entre la tête et le corps, entre les différentes parties du corps, et enfin, entre le portrait et le fond de la toile.

Imaginez un amateur sans expérience, en train de dessiner un personnage d'après nature sans cadre préalable. Savez-vous ce qu'il fait ? Ceci :

Il regarde le visage, calcule les dimensions de la tête —tant de hauteur, tant de largeur—... et il dessine le visage.

Il observe la longueur du cou, la compare avec la hauteur de la tête, calcule qu'il est moins grand, et il dessine le cou.

Il regarde le tronc, le compare au cou, pense que ses dimensions sont plus grandes, et il dessine le tronc.

Finalement, il en arrive aux pieds. Il examine alors son travail et, s'il est capable de le voir avec esprit critique, chose parfois difficile, il se rend compte que les jambes sont trop longues ou trop courtes, disproportionnées par rapport au reste du corps. Pourquoi ? Tout simplement parce que, à partir d'une erreur, il en a fait beaucoup d'autres . Parce que la hauteur du cou lui a «quelque peu échappé» et qu'il s'en est servi comme base pour calculer la hauteur du tronc... Et comme la hauteur du tronc lui a «aussi quelque peu échappé» et qu'il en a pourtant déduit celle des hanches... Et comme... etc., etc., etc.

Voilà exactement ce qu'est le cadre:

Un contrôle simplifié des mesures et des proportions, vérifié ensuite au moment de la construction du modèle.

De sorte que:

— **En dessinant le cadre, on considère les dimensions du modèle dans leur ensemble.**
— **En dessinant le personnage dans le cadre, on vérifie le calcul des dimensions effectué dans le cadre initial.**

Imaginons maintenant ce même amateur en train d'examiner le modèle des pieds à la tête, en train de dessiner le «panier» qui doit le contenir —c'est ainsi qu'Ingres appelait le cadre— ; il en calcule les dimensions en comparant longueur et largeur. Supposons ensuite que notre homme trace dans le cadre initial des lignes maîtresses, comparant les mesures les plus grandes, considérant encore le modèle comme un tout; après quoi il déterminera enfin sur le modèle —tant qu'il est encore capable précisément de voir tout à la fois— la place des épaules, du nombril, des genoux. Comme il sera facile, ensuite, de construire d'une façon définitive, puisque l'on saura que « les épaules seront ici, le nombril là ; qu'ici doivent être les genoux...»

«—ET QUAND L'ÉLÈVE NE VOIT PAS LE CADRE?»

Je viens de me poser moi-même la question presque à voix haute, me souvenant d'un vieux problème auquel je ne parvenais pas à trouver de solution.

J'avais alors à la maison quelques élèves débutants qui se perdaient dans une foule de choses confuses chaque fois qu'ils essayaient de dessiner d'après nature. Pourtant, presque tous étaient capables de copier une gravure à la perfection. (Je me souviens que le premier jour, l'un d'eux arriva avec la reproduction parfaite, réalisée à la mine de plomb, d'un portrait de l'acteur de cinéma Charles Laughton.) Mais aucun d'eux ne savait choisir, devant un modèle vivant, les lignes essentielles du contour, de la construction initiale. Il était inutile de leur parler du cadre ou de l'encadrement. Ils ne le voyaient pas, ils ne comprenaient pas; la proportion, les dimensions, la forme leur échappaient.

Je me suis enfermé dans mon atelier, et seul, devant une statue en plâtre du Moïse de Michel-Ange, je m'efforçais de découvrir en quoi consistait cette difficulté qui, telle une barrière infranchissable, se dressait entre l'élève et le modèle et l'empêchait de saisir la forme du contour, le schéma fondamental, le cadre. Pourquoi des élèves étaient-ils parfaitement capables de copier une gravure, alors qu'ils ne pouvaient pas en faire autant, en prenant un modèle dans la réalité ?

Je me mis à leur place, nous sommes tous passés par là, nous, les professionnels, et j'en arrivai à une suite de conclusions qui m'ont servi ensuite à conseiller et à guider beaucoup de ces élèves amateurs. Je compris qu'en dessinant d'après nature, l'élève ne réussit pas à voir le modèle comme une figure plane et il est troublé par le jeu des trois dimensions...

Mais... organisons ces idées en commençant par ce que j'appelle:

LA BARRIÈRE DU RACCOURCI

«Raccourci» est le mot employé par les artistes pour parler d'un corps qui se présente à notre niveau visuel dans une position oblique ou perpendiculaire. Nous parlons par exemple d'un «bras en raccourci», quand le modèle placé devant nous lève un bras, en dirigeant sa main vers nous. Un personnage sur le tremplin d'une piscine et vu d'en bas sera également un «raccourci»; un verre et un pichet renversés sur la table seront autant de formes en raccourci.

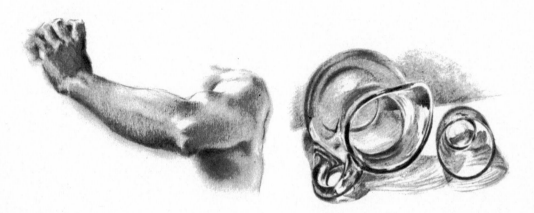

Pratiquement, l'effet de raccourci existe dans tous les corps qui ont du volume. Dans un livre, un cheval ou une tête de femme, etc., il y aura toujours une partie quelconque, en raccourci.

Tous les artistes, à toutes les époques, ont consacré au raccourci de longues heures d'étude. Les musées et les collections particulières nous offrent des centaines de dessins —ce sont presque toujours des études préliminaires et isolées de grandes œuvres— ébauchés ou achevés, de mains, de pieds, de bras ou de têtes en raccourci.

Pourquoi ce souci ?

Parce que, à n'en pas douter, c'est le dessin en raccourci —je veux dire le raccourci absolu ou presque— qui offre le plus de difficultés.

Pour le comprendre, faites dès maintenant cet essai : placez-vous devant une glace et montrez-vous du doigt, de manière à ce que l'index de votre main gauche par exemple soit complètement perpendiculaire à vos yeux. Pensez maintenant à dessiner cette main. Que ferez-vous pour reproduire cet index en raccourci ? Quelles lignes tracerez-vous sur votre papier à dessin, quelles lumières et quelles ombres faudra-t-il indiquer pour que tout le monde comprenne qu'il s'agit d'un doigt ?

Cette question nous conduit à parler d'un autre problème :

LA BARRIÈRE DES DEUX DIMENSIONS.

Imaginons cette même main reproduite à la fois par un peintre (ou un dessinateur, peu importe) et un sculpteur. Le sculpteur la modèlerait avec un réalisme absolu, il lui donnerait du corps, du volume. En effet, le sculpteur travaille avec les trois dimensions ; tous les corps placés dans l'espace possèdent : largeur, hauteur et profondeur. Par contre, le peintre dessinerait la main sur une surface plane (le papier à dessin ou la toile de son tableau) sans qu'il lui soit physiquement possible de la « faire sortir » de son tableau, de reproduire son volume réel. Pour obtenir la sensation d'un volume, le peintre dessinerait exactement les contours, les lumières et les ombres, de manière à donner l'illusion du relief. Concrètement le peintre travaille avec deux dimensions : hauteur et largeur.

Revenons au modèle : cette main dont l'index vous montre du doigt.

Pour vous, la position de ce doigt ne présente aucune difficulté. Vous le voyez parfaitement, venant vers vous, sortant de la main, l'ongle au premier plan. Bien que ce doigt présente un raccourci absolu, votre vue peut en « parcourir » parfaitement la longueur. Vos yeux, placés à une distance convenable, saisissent parfaitement le relief et avec lui ces trois dimensions que possède tout corps placé dans l'espace : largeur, hauteur et profondeur.

Pourtant, nous avons dit plus haut que le peintre ne travaille qu'avec deux dimensions, qu'il ne peut pas reproduire les corps *tels qu'il les voit : en relief* ; qu'il dessine sur une surface plane, où la troisième dimension, la profondeur, n'existe pas.

Vous comprenez, n'est-ce pas ? De là viennent toutes les difficultés auxquelles se heurte l'amateur, lorsqu'il affronte pour la première fois un modèle réel. Cet amateur, comme vous et moi et tout le monde, est né et a grandi au milieu d'objets qu'il a toujours vus sous forme de volumes. Son cerveau est tellement habitué à placer certaines parties d'un corps au second plan par rapport à d'autres qui se trouvent au premier ; habitué à voir la profondeur et l'espace existant entre certaines choses et d'autres, que même s'il regarde d'un seul œil —la possibilité de voir en relief étant donnée par la combinaison et la distance d'un œil à l'autre—, il continue à « voir » en relief !

Et voici que ce brave amateur se trouve un jour devant un modèle ; il le regarde, le voit dans ses trois dimensions, dans tout son volume, essaie de le traduire sur sa toile ou sa feuille de papier et... se perd dans une foule de choses confuses...

...incapable de réduire à deux dimensions ce qu'il voit en trois.

Il est capable de copier d'après une gravure, bien sûr! Car là, le problème des *trois dimensions* ne se pose pas! Sur la gravure modèle, les formes se présentent planes, concrètes, sans la difficulté du relief, du raccourci ou de la profondeur. Tout est mesuré lorsqu'on a dit « tant de haut et tant de large ». Il suffit de reporter ces mesures, avec le jeu des lumières et des ombres, pour aboutir aux mêmes résultats.

RENVERSER LES BARRIÈRES

En résumé, pour abattre la barrière du raccourci et celle des deux dimensions, il faut :

VOIR le modèle sans la troisième dimension

C'est-à-dire qu'il faut le voir comme un objet plan, sans relief, sans raccourcis, sans profondeur. Cela suppose, par rapport à ce que nous voyons, un changement d'attitude physique et mentale. Cela suppose la création d'une habitude.

Est-ce difficile ?

Oui et non. Cela dépend de l'effort que vous fournirez.

Dessinez beaucoup d'après nature et peu à peu, vous acquerrez cette nouvelle habitude.

Faites donc vos premières armes avec des modèles qui ont peu de relief ; puis, progressivement, portez votre attention sur des objets au «volume plus important», et terminez par ces raccourcis absolus, véritables écueils de l'art du dessin. Je répète mon conseil :

Commencez par dessiner d'après nature des corps qui présentent peu de relief.

Savez-vous pourquoi il est plus facile de dessiner un visage de profil que de face ? A cause de toutes ces raisons et des barrières que nous venons d'étudier : parce que de face, le nez est en raccourci complet, presque sans lignes où appuyer la forme (sans largeur ni hauteur mais seulement la profondeur); et qu'on doit créer cette forme et cette profondeur par des gris, des lumières et des reflets.

La difficulté est la même avec les oreilles, les pommettes, les tempes et le haut du front, quoique à un degré moindre.

Donc, commencez par dessiner des visages de profil ; continuez petit à petit par des visages de trois quarts et finissez par dessiner les visages de face.

Au début, tandis que se forme cette nouvelle habitude de voir les choses planes,

Choisissez toujours chez votre modèle la pose la moins «épineuse», la face qui présente le moins de raccourcis.

Efforcez-vous toujours d'oublier que le modèle a un «volume». Essayez de le voir sans premiers, seconds ou derniers plans : «aplani», toutes ses lignes sur le même plan.

Enfin... efforcez-vous de voir le modèle, comme s'il était un corps inconnu.

Ne pensez pas, par exemple, «ça, c'est un nez» ; car immédiatement, votre cerveau et votre habitude de voir les choses en relief vous feront «parcourir» instinctivement sa longueur, sa profondeur, et vous vous sentirez perdu, sans savoir par où commencer pour rendre l'illusion de cette profondeur. Non, non ; regardez ce nez comme vous regarderiez un papier blanc avec quelques taches ; et pensez : «Là il y a une tache qui a cette forme et qui est foncée comme ceci ; à côté, une autre, allongée, et au bout, une sorte de petite lumière, une zone qui a un reflet...». Tout cela en premier plan !

Pour être plus exact, voyez toujours les choses comme sur une gravure, une photographie !

Si, à cette attitude mentale, résultat d'une habitude formée petit à petit, vous ajoutez les principes suivants sur l'encadrement par blocs, vous aurez à moitié gagné la bataille du dessin d'après nature.

Pour réussir à voir le modèle «sans la troisième dimension», il convient de s'exercer au début avec des modèles qui ne présentent pas de trop grandes difficultés. Voici donc un sujet qui se prête bien à un exercice pratique.

Une assiette quelconque et un verre, une cuiller à café ; une boîte et un tube d'aspirine, le bouchon ouvert et deux aspirines sorties : voilà une nature morte toute simple que vous pouvez composer vous-même et dessiner d'après nature.

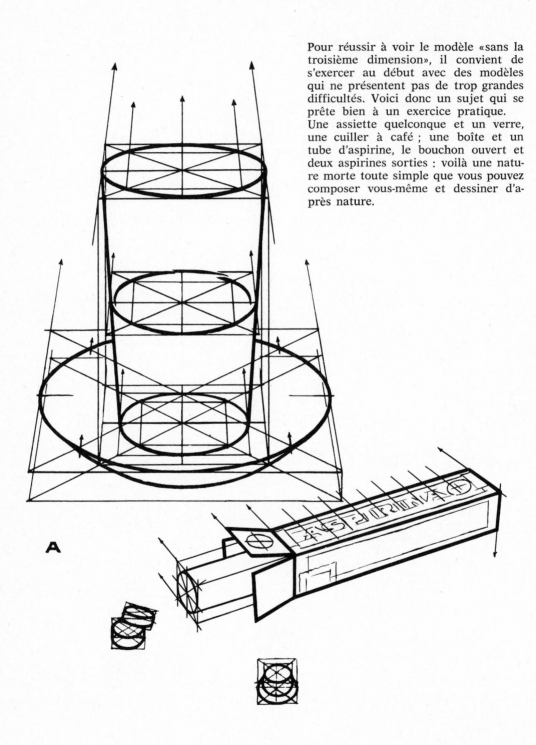

A

Remarquez sur l'image de gauche (A), que le squelette de la construction comme le dessin de la nature morte sont entièrement sujets aux lois et règles de la perspective (1). Etudiez sur l'autre dessin (B), la direction du tracé, la facture ou manière de dessiner : elle est libre, aisée. Ce dessin a été exécuté avec un crayon 2B.

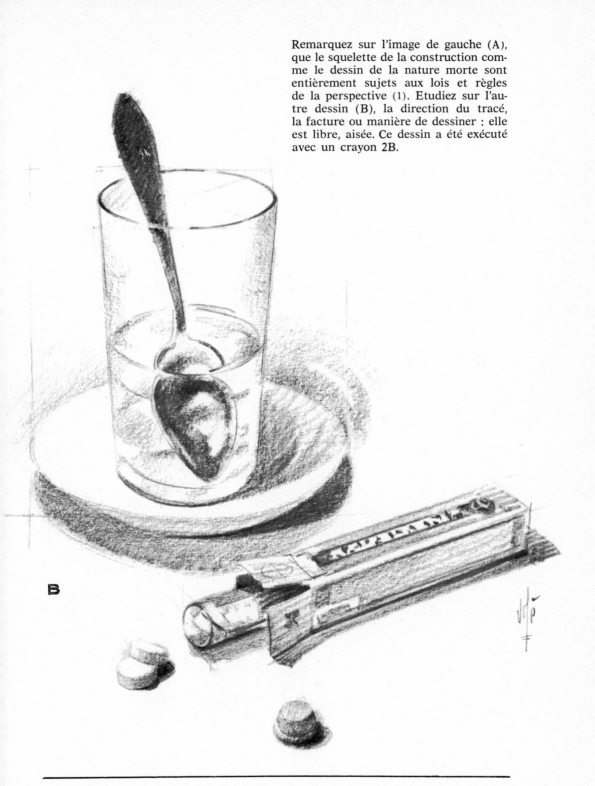

B

(1) Nous vous recommandons le livre *Comment dessiner en perspective*, dans cette même collection «Je dessine et je peins», où vous trouverez toutes les formules de la perspective, applicables au dessin et à la peinture d'art, ainsi qu'au dessin commercial et publicitaire.

DE LA THÉORIE À LA PRATIQUE

Vous êtes en train d'apprendre à dessiner d'après nature, souvenez-vous-en ; car aussi bien dans la période initiale de construction et d'encadrement, que dans celles qui suivront, où vous mettrez en valeur et en contraste les lumières et les ombres, tout votre travail d'artiste reposera sur un jeu continuel d'observation et de comparaison.

Pour que celle-ci soit efficace, il est indispensable d'arrêter la position de l'artiste, d'après la position et la situation du modèle ; il faut que l'artiste puisse voir son dessin et son modèle, en levant seulement les yeux ou tout au plus par un léger mouvement de tête.

Observez ces images :

Sur celle de gauche, la position incorrecte de la planche à dessin par rapport à la situation du modèle, oblige le dessinateur à lever la tête chaque fois qu'il veut voir celui-ci.

Sur celle de droite, la position meilleure de la planche permet à l'artiste de voir son dessin et son modèle d'un simple mouvement d'yeux, sans qu'il ait à bouger la tête chaque fois.

On peut en dire de même dans cet autre cas : sur l'image de gauche, l'artiste doit presque tourner tout son corps, chaque fois qu'il veut voir son modèle. La position correcte représentée sur la figure de droite permet de dessiner et de comparer les distances avec une meilleure «productivité», c'est-à-dire «un rendement maximal pour un effort minimal».

DISTINCTION ENTRE LES DIFFÉRENTS TYPES DE CADRE ET D'ENCADREMENT

Nous allons entrer dans le vif du sujet, mais auparavant, il convient de faire une distinction entre les modèles, selon qu'ils se prêtent à un certain type de cadre ou à un autre. Suivant cette distinction, nous avons :

LE CADRE PLAN OU CADRE GÉOMÉTRIQUE, qui repose sur une figure plane. Son application est générale, comme nous allons le voir.
LE CADRE BLOC OU CADRE VOLUME, spécialement indiqué pour les modèles qu'affecte la perspective.
LES LIGNES D'ENCADREMENT, utilisées indifféremment comme aides dans les cadres précédents, ou comme moyen direct d'encadrement.

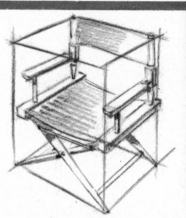

On peut dire que, pratiquement, l'artiste travaille presque toujours avec le cadre plan ou cadre géométrique, applicable à n'importe quel type de modèle, qu'il soit ou non affecté par la perspective. C'est pourquoi je vais consacrer une attention toute particulière au processus de construction de ce cadre, car nous le verrons plus tard, la plupart des connaissances nécessaires ici peuvent s'appliquer à la construction du cadre bloc.

Le cadre plan ou cadre géométrique

Nous devons commencer par simplifier la forme, afin que toutes les saillies, les creux du contour, les détails intérieurs du modèle se réduisent à quelques lignes simples qui enfermeront et schématiseront ce que nous allons dessiner.

Souvenez-vous du temps de vos études. A quatorze ou quinze ans, vous appreniez la géographie sur de superbes et «monumentaux» atlas, où figuraient les pays avec tout le détail de leurs villes grandes et petites, leurs îles, leurs caps, leurs golfes, leurs rivières, leurs montagnes, etc.

Pour nous, professionnels, lorsque nous sommes devant une toile, notre modèle avec tous ses détails est cette «carte géographique».

Cependant, il y a quelques années, dans les classes primaires, vous avez connu ces cartes schématiques, sans prétentions, élémentaires, où les côtes étaient représentées presque rectilignes.

Le cadre de notre carte à nous est ainsi : c'est le modèle simplifié.

Comment parvenir à cette simplification ?

Première étape : le cadre-rectangle

Tout modèle, si complexe que soit sa forme, peut être encadré dans un carré ou un rectangle.

Bien entendu, si ce cadre-rectangle initial est parfait, les mesures et les proportions qu'il renferme seront également parfaites. Il importe donc d'en calculer les dimensions avec le plus grand soin.

Il faut déterminer, tout d'abord, quel sera l'espace occupé par notre dessin et comment nous allons situer cet espace sur la superficie du papier ou de la toile sur laquelle nous travaillons. C'est-à-dire savoir si nous allons dessiner, en laissant beaucoup ou peu de marge autour de l'image, si nous voulons situer celle-ci au centre, en haut, en bas, à droite ou à gauche du papier. A partir de ce cadre-rectangle, tout est possible et facile.

La seule difficulté est de déterminer les dimensions de ce cadre-rectangle initial, sa largeur par rapport à sa hauteur. C'est un problème classique de proportions et de dimensions. Pour cela...

Il faut imaginer le modèle, comme s'il était entouré d'une sorte de fil de fer, comme s'il était une figure plate —ici s'impose la nécessité de le voir sans la troisième dimension—, tout en considérant et en comparant sa hauteur et sa largeur.

Vous connaissez la formule : on prend un crayon, un pinceau ou un bâtonnet quelconque dans la main, on étend le bras et on mesure l'une des parties du modèle avec le morceau de bois qui dépasse (par exemple la largeur totale). On compare cette mesure (c'est-à-dire la largeur) à une nouvelle mesure (la hauteur). On détermine alors combien de fois la hauteur contient la largeur ou vice-versa, et on reporte le calcul sur le papier.

Ceci dit, si le système du crayon-instrument de mesure peut vous aider, ce n'est pas une méthode à laquelle on doit se fier entièrement. Il ne faut pas oublier qu'un léger mouvement, au moment où vous passez d'une mesure à l'autre —ramener un peu le bras, avancer légèrement le corps ou la tête, par exemple— peut fausser votre calcul de dimensions.

Il faut se fier à sa sensibilité visuelle acquise.

Je vous rappelle ici, comme je l'ai déjà fait, dans les chapitres précédents, la nécessité d'entraîner votre œil, de l'éduquer par des exercices pratiques. Dessinez beaucoup de ces cadres-rectangles, remplissez-les d'esquisses, de lignes élémentaires d'encadrement, de la forme du modèle : de cette façon, vous vérifierez si votre cadre-rectangle est exact ou non. Effectuez ces exercices, sans l'aide du crayon ou du bâtonnet ; faites-les à l'œil nu.

Les modèles ne vous manqueront pas. Chez vous, il vous est possible de «gribouiller» du papier, de dessiner des cadres-rectangles et de pratiquer ce calcul du «tant de largeur sur tant de hauteur» : prenez pour modèles les membres de votre famille, pendant que l'un d'eux lit, coud, ou fait la sieste.

Commencez dès aujourd'hui à pratiquer l'encadrement avec des modèles d'après nature, en calculant à vue d'œil, la hauteur et la largeur du cadre. Esquissez ensuite la forme qu'il contient, pour vérifier si vos mesures sont justes. Ne vous occupez pas pour l'instant d'obtenir des dessins parfaits.

Le cas courant: le cadre-rectangle enferme la «masse» et laisse ce qui est secondaire à l'extérieur

Le cas d'un modèle dont la masse est constituée par un corps principal et quelques éléments secondaires extérieurs à elle, est fréquent.

Cela arrive, par exemple, dans le cas d'un personnage, qui a un bras étendu, qui tient un bâton, ou d'une maison avec une cheminée sortant du toit, etc.

Dans de pareils cas, on comprend que l'encadrement ne tient compte que de la masse principale de la forme et laisse à l'extérieur les éléments secondaires. Faire le contraire compliquerait le calcul des dimensions du cadre-rectangle, sans aucun bénéfice lors de la construction.

Une fois déterminé le cadre essentiel enfermant la masse principale, les dimensions de ces formes secondaires ne posent aucun problème. Il suffit de prendre comme référence n'importe quelle autre dimension existant dans le premier cadre et de la reporter sur celle de la forme secondaire.

En suivant ce critère d'encadrer la masse principale et de laisser à l'extérieur ce qui est secondaire, il se peut que, petit à petit, vous arriviez à un cadre chaque fois plus «restreint» et, par conséquent, plus utile. Si vous encadrez chaque fois mieux, avec plus de métier, vous finirez par considérer comme éléments secondaires non seulement certaines parties saillantes très visibles, mais aussi de légères «dépressions» de la forme.

Mais c'est là une façon de faire qu'il est trop tôt pour pratiquer. Pour le moment, contentez-vous d'enfermer la forme entière, laissant au-dehors l'accessoire et, sans le vouloir —il faut y arriver— vous parviendrez avec le temps à choisir plus schématiquement les lignes et les formes essentielles du modèle.

Voilà tracé le cadre-rectangle qui limite d'une manière très simple le contour de la forme que nous allons dessiner.

Nous allons continuer par un schéma plus ajusté, qui encadrera de façon plus précise, et dont les cadres ressembleront probablement à des figures géométriques telles que triangles, losanges, cercles, etc., sans compter d'autres rectangles.

PREMIÈRE ÉTAPE : LE CADRE-RECTANGLE.   DEUXIÈME ÉTAPE : LE CADRE AJUSTÉ.

Remarquez que très souvent, le professionnel commence directement son travail par le cadre plus ajusté sans avoir dessiné auparavant le cadre-rectangle. Il fait cela par commodité, car, en tant que professionnel, il arrive à imaginer le cadre-rectangle initial sans avoir à le dessiner ; il construit directement «à l'intérieur». Il agit également ainsi lorsqu'il prend des modèles qui, par la configuration de leur contour, se prêtent à un encadrement plus direct, sans qu'il soit besoin de passer par le cadre-rectangle.

C'est la pratique qui doit vous indiquer dans quels cas il convient de ne pas vous compliquer la vie avec des cadres-rectangles antérieurs au cadre plus ajusté. J'ai préféré commencer par le second avant de passer au premier, afin que vous sachiez mieux ce qu'il en est.

Pour VOIR dans le modèle ce cadre plus ajusté, je vous conseille d'y chercher une ligne dominante —très visible—, qui servira de soutien à la forme ou aux formes des cadres ajustés. Essayez de rendre cette ligne —qui peut être courbe ou brisée— par une ligne droite. N'attachez pas d'attention aux détails, aux parties saillantes ou rentrantes. «Pardonnez» au contour ses hauts et ses bas et soyez généreux en les simplifiant au maximum.

Appuyez-vous ensuite sur cette ligne pour construire les autres. Choisissez, si besoin est, deux ou plusieurs lignes d'appui et construisez les cadres ajustés à partir d'elles.

Attention aux dimensions et aux proportions ! Pour obtenir une construction parfaite, il est indispensable de s'assujettir au calcul mental et à la vérification fournie par le système du crayon-instrument de mesure.

Souvenez-vous que ce cadre ajusté doit tenir dans le cadre-rectangle. Alors commence ce «contrôle des dimensions entre elles» dont j'ai déjà parlé. En effet, si, à partir d'un cadre-rectangle *que nous avons calculé et ajusté au maximum auparavant*, nous voyons qu'en dessinant après, des cadres plus ajustés, ils «n'entrent» pas dans le premier, nous pouvons conclure avec certitude qu'il y a eu erreur dans l'un de nos calculs.

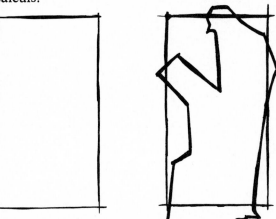 

La conséquence est logique : une révision-contrôle s'impose qui nous donnera les dimensions et les proportions exactes.

Sommes-nous d'accord ? Pouvons-nous dire que notre «panier» a enfin les mesures et les proportions que nous voyons sur le modèle ?

Nous allons donc nous occuper maintenant de quelque chose d'également très important.

EFFAÇONS TOUT ET RECOMMENÇONS

C'est exact. Nous allons effacer tout ce qui a été fait, mais ATTENTION, pas au point de faire disparaître toutes les lignes tracées jusqu'à présent. Je répète : il faut effacer avec soin, de sorte qu'il soit possible de redessiner en prenant pour base certaines lignes qui simplifient les formes du modèle.

L'idéal serait d'avoir dessiné si légèrement que nous puissions maintenant —sans avoir à effacer— redessiner le modèle, à l'intérieur de çe que nous pouvons appeler :

TROISIÈME ÉTAPE : LE VRAI CADRE

Nous sommes enfin arrivés au vrai cadre, celui qui suit de plus près la forme du modèle, toujours dans le sens d'une interprétation simplifiée de celle-ci.

Il est presque impossible de donner ici une norme concrète d'application. Chaque modèle est un cas et c'est l'artiste qui, dans chaque cas, doit fixer la conduite à suivre. Je peux néanmoins vous donner quelques règles d'application générale, que l'on peut ainsi résumer :

RÈGLES D'APPLICATION GÉNÉRALE POUR LA PRATIQUE DE L'ENCADREMENT

1. SIMPLIFIEZ LA FORME PAR LES LIGNES BRISÉES. Il peut se présenter des cas où l'une des lignes dominantes du contour du modèle soit constituée par une grande courbe. Il convient alors d'étudier la forme de cette courbe et de la tracer dès le début, en l'ajustant le plus possible au modèle. Mais en règle générale, le modèle se présentera avec un contour formé de petits angles et surtout de courbes légères et courtes. Il faut simplifier la forme en faisant abstraction de ces petites courbes, en traçant des lignes brisées qui suivront la silhouette pour former ce «panier» dont parlait Ingres.

2. LES CERCLES SONT DONNÉS PAR DES CARRÉS. Et les ellipses par des rectangles ou des losanges. A force de minutie et de détail, ne rendons pas accablante cette simplification obtenue par des traits et des lignes brisées : ce ne serait plus une simplification. Si, sur le modèle, nous voyons un cercle —en supposant, bien sûr, que ce cercle ne soit pas de grand format—, nous devons l'encadrer en dessinant un carré.

3. CHOISISSEZ DES LIGNES ESSENTIELLES POUR LE CONTOUR. «PASSEZ AU TRAVERS». Quand vous dessinez des lignes brisées, ne restez pas toujours à l'extérieur de la forme, vous limitant à longer le contour. Au contraire, «passez au travers», c'est-à- dire dessinez en laissant de part et d'autre de vos traits de petits creux ou de petites saillies; prenez un moyen terme, comme c'était le cas pour cette ligne presque rectiligne des côtes sur cette carte de géographie des classes primaires, vous en souvenez-vous?

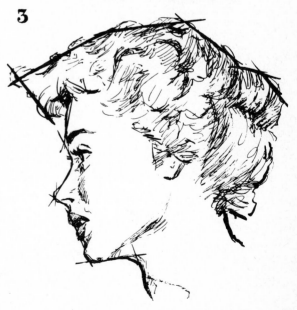

4. DONNEZ À CHAQUE LIGNE SA DIMENSION EXACTE. Ne pensez pas comme beaucoup d'amateurs : «Je dessinerai plus juste après.» Non, car beaucoup d'erreurs ne peuvent rien donner de juste. Il est utile de rappeler ici les paroles du maître Reynolds, disant à ses élèves: «Si, au moment de dessiner au crayon, vous négligez la forme sous prétexte de la construire ensuite au pinceau, vous serez de mauvais peintres.» Il faut construire et construire bien dès les premiers traits. C'est ainsi que certaines lignes s'appuieront sur d'autres et que les dimensions de certaines formes serviront de base, pour en construire d'autres.

Et c'est aussi comme cela que vous pourrez contrôler continuellement vos dimensions et vérifier ce qui a été fait, pour rendre plus exact ce que vous allez faire.

QUATRIÈME ÉTAPE : LES LIGNES DE L'ENCADREMENT APPLIQUÉES AU CADRE LINÉAIRE OU GÉOMÉTRIQUE

Nous allons maintenant entrer «dans le panier», dans le cadre du contour.

Examinons le modèle. Quelques lignes dominantes s'y détachent certainement, dans l'ensemble des autres lignes et formes intérieures. Beaucoup de ces lignes seront rendues par des formes concrètes ; par exemple —dans un personnage— celle d'un bras, d'un décolleté de robe, d'une cravate d'homme, etc. Certaines autres seront peut-être la conséquence d'un jeu de lumière et d'ombre. Les limites des ombres —que l'on peut toujours trouver sur le modèle— offrent très souvent la possibilité d'être utilisées comme d'excellentes lignes d'encadrement. Au point que, sur des modèles où le contraste entre lumière et ombre est très accentué, ces limites se transforment en éléments de base pour l'encadrement.

Souvenez-vous, en dessinant ces lignes, que nous sommes toujours en train d'encadrer, de simplifier ; donc tracer ces lignes avec une précision absolue ne nous intéresse pas. Il faut agir ici comme précédemment avec les autres lignes au moment d'encadrer, et appliquer à leur tracé les mêmes règles données à propos de l'encadrement en général (revoyez les quatre règles précédentes).

Il est indispensable de surveiller et de préciser la place exacte des lignes d'encadrement. C'est ici que la «ressemblance» avec le modèle commence à compter. S'il s'agit d'un portrait, par exemple, la ligne de l'encadrement, correspondant au menton, nous donnera —par son emplacement— une tête plus ou moins allongée ; si nous dessinons une femme, la ligne d'encadrement qui déterminera la place des seins, donnera —selon sa situation— un buste svelte ou trapu. On peut, bien sûr, se rendre compte de ces erreurs au fur et à mesure que l'on progresse dans la construction, quand on travaille par la suite sur les jeux de la lumière et de l'ombre, une fois le dessin des plis et du drapé terminé. Mais... vous savez ce qui se passe, lorsqu'on apprend une chanson sur une note fausse : quand on veut corriger par la suite, on ne se souvient plus de la note juste et sans le vouloir, on revient au ton faux initial.

DERNIÈRE PHASE : LA CONSTRUCTION SIMPLIFIÉE

Nous achèverons le travail d'encadrement par une construction plus poussée de la forme, toujours avec une interprétation simplifiée, comme s'il s'agissait de «réencadrer», de dessiner en allant toujours du plus grand au plus petit, pour être chaque fois plus près du détail.

Ce sera le moment de mettre en place et de dessiner des formes telles que les yeux, le nez et la bouche —cela, si nous travaillons sur un visage—; les lignes d'ornementation, si nous dessinons un meuble, un vase ou un bâtiment.

Centrons notre travail sur la construction d'un visage, pour mieux comprendre ce qu'il faut entendre par «construction simplifiée».

Commençons par rappeler ici le conseil d'Ingres à ses élèves :

«Il faut que le commencement soit l'expression de la fin. Tout doit être entrepris afin de pouvoir être montré au public à quelque moment que ce soit, et offrir déjà le caractère de ressemblance, approfondi par la suite.»

Il est facile de comprendre l'intention de ce conseil quand on est passé par l'Ecole des Beaux-Arts, qu'on a vu travailler de grands maîtres et qu'on a expérimenté soi-même «ce qu'il convient de faire en dessin».

C'est un conseil qui vise à combattre la mauvaise habitude de «commencer par en haut pour finir par en bas», habitude malheureusement soutenue par des professeurs sans expérience ; tel celui-ci, qui écrivait à peu près ceci dans une méthode : «Si vous commencez par en haut et finissez par en bas, vous éviterez de salir votre papier en passant votre main sur les parties dessinées».

La meilleure façon d'obtenir qu'un dessin soit vraiment artistique, est de faire qu'il soit toujours «terminé». «Terminé» dès l'ébauche initiale ou l'esquisse achevée. «Terminé» lorsqu'il est presque achevé, puis «terminé», définitivement. Il faut que ce soit une œuvre qui progresse *non par morceaux mais tout entière.*

Jamais, vous ne verrez un vrai professionnel dessiner par exemple un œil et «en rester là» jusqu'à ce qu'il l'ait terminé ; puis passer à l'autre œil et en faire autant, s'arrêter aux lèvres et ne pas continuer avant de les avoir terminées, ombrées, mises en valeur, etc. Chose que l'amateur fait souvent.

Non, non, vous devez dessiner tout à la fois ; comme si une image entière apparaissait petit à petit, se formait et s'enrichissait de détails. C'est ainsi que doit être le bon dessin d'art.

La construction simplifiée ne doit pas aller au-delà de ce qu'elle dit par elle-même ; elle ne saurait souffrir qu'on «s'arrête à un œil», puis à une rétine, à une paupière, aux cils, et ainsi de suite jusqu'à la fin. NON !

La construction simplifiée doit être :

Un dessin détaillé des formes, sans autre souci que de leur donner une place juste et des proportions exactes.

C'est le «petit cadre» de l'œil, du nez, de l'oreille, de la bouche... ce sont les petites lignes des cils, de la limite des cheveux et du visage, toujours à leur place, exactement proportionnés, afin que —comme disait Ingres— notre dessin présente déjà «le caractère de ressemblance qui sera approfondie à la fin», avant même que nous en soyons arrivés au menu détail.

ET L'ENCADREMENT PAR LES OMBRES.

Tandis que se fait la construction simplifiée, en même temps, «à la fois», il convient également de vérifier dimensions et proportions et de commencer à ombrer, à tacher en encadrant par les ombres, tout simplement. Voici comment faire :

Le bois du crayon doit se trouver dans la main, de manière que la mine travaille à plat et que le trait soit très large. Il ne faut pas se soucier de la grandeur *exacte* de la zone d'ombre, ni préciser encore la qualité —les détails— de la lumière et de l'ombre ou le jeu des gris foncés sur les gris plus clairs.

MODÈLE

PREMIÈRE ÉTAPE. — Nous enfermons d'emblée le modèle dans un cadre-rectangle, en laissant à l'extérieur les formes secondaires.

PROCESSUS VISUEL DE L'ENCADREMENT AU MOYEN D'UN CADRE LINEAIRE

DEUXIÈME ÉTAPE. — Pour dessiner le cadre ajusté, commençons par chercher, sur le modèle, une ou plusieurs lignes dominantes (A), à partir desquelles nous construisons le cadre (B), en contrôlant toujours dimensions et proportions (C et D).

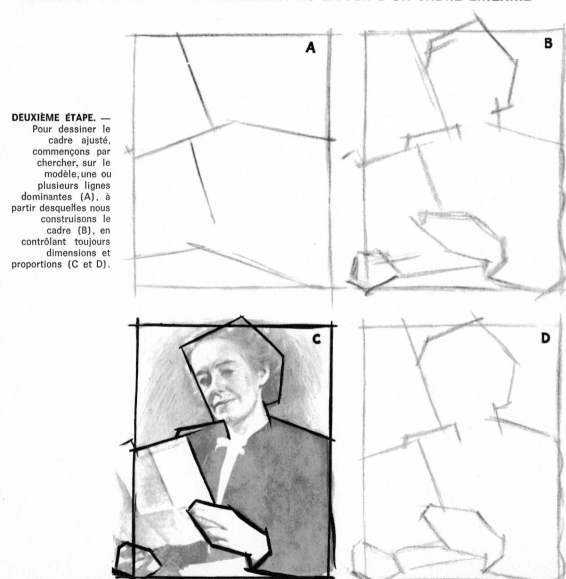

56

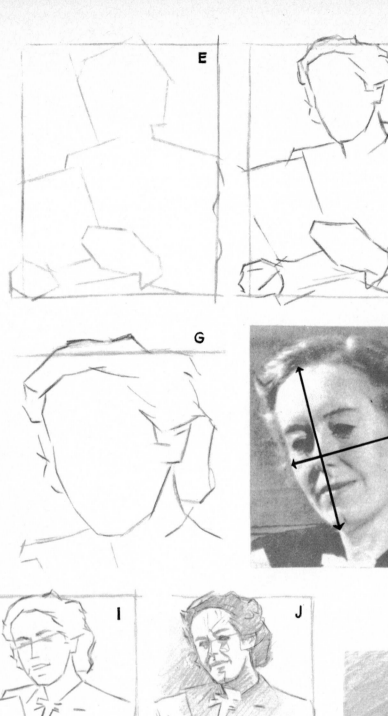

TROISIÈME ÉTAPE. — Effaçons légèrement ce qui a été fait (E) et recommençons avec le vrai cadre, en simplifiant les contours par des lignes brisées (F), en «passant au travers» (G) et en étudiant sans cesse la dimension exacte de chaque ligne (H).

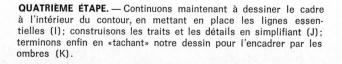

QUATRIÈME ÉTAPE. — Continuons maintenant à dessiner le cadre à l'intérieur du contour, en mettant en place les lignes essentielles (I); construisons les traits et les détails en simplifiant (J); terminons enfin en «tachant» notre dessin pour l'encadrer par les ombres (K).

Comprenez-vous ? C'est la simplification du jeu lumière-ombre. Il s'agit de VOIR DES SURFACES ; des surfaces d'ombre les plus grandes possibles, des surfaces de lumière les plus grandes possibles, comme s'il n'existait sur le modèle que deux tons, trois tout au plus : blanc, gris et noir. Ce qui ne veut pas dire que vous devez ombrer avec un gris réellement moyen et un noir absolu. Attention à cela.

Il faut ombrer dans un ton mineur, sans appuyer.

Il faut repérer une surface d'ombre, dont le ton est un gris moyen et la «griser» avec un gris clair. Et vous devez quand même voir une zone où le noir domine et l'ombrer avec un gris moyen, vous réservant la possibilité de l'intensifier plus tard quand, après avoir achevé l'encadrement, vous construirez les ombres de façon définitive.

Dans chaque surface, lorsque vous «encadrerez», vous pourrez bien sûr mettre en valeur la gamme des tons existant sur le modèle.

L'encadrement par les ombres permet de commencer à voir le volume, ce qui nous fait mieux comprendre le modèle, nous approcher davantage de la forme, de sa ressemblance. Enfin, nous pouvons construire avec plus de certitude.

Le travail d'encadrement s'achève ici. Celui qui suit fait déjà partie du dessin proprement dit, avec tous ses détails —auxquels il faudra parvenir de façon progressive, «en même temps»— et ses problèmes de lumière, d'ombre, d'atmosphère et de mise en valeur, que vous étudierez au cours de leçons plus avancées.

Nous avons suivi d'un bout à l'autre le processus d'encadrement et de construction, en partant du cadre linéaire ou géométrique ; nous allons maintenant étudier la manière de construire un dessin, à partir du cadre-bloc ou cadre-volume.

Permettez-moi cependant de bavarder quelques instants avec vous auparavant, car quelque chose me brûle la langue depuis que nous sommes entrés dans le domaine de l'encadrement :

L'ÉTAT D'ESPRIT DE L'ARTISTE QUI ENCADRE SON MODÈLE

Que fait et que pense le professionnel tandis qu'il suit le processus exposé plus haut ? Comment travaille-t-il ? Vite, doucement ? Joyeux, soucieux ?...

Je suis effrayé de voir que j'ai mis quatre heures —après plusieurs jours de plans, de réflexions, d'expériences — à exposer un processus que, pratiquement, nous menons à bien en quelques instants, en moins de dix minutes.

Cela me fait penser à la première condition nécessaire pour que l'encadrement et la construction soient réussis :

LA RAPIDITÉ

Comment tenir son crayon ? Quelle doit être la distance par rapport au tableau ? la position du dessinateur ? Autant de questions qui doivent être complètement résolues au moment d'en arriver à ces exercices d'encadrement. A ce moment-là, le professionnel doit pouvoir concentrer toute son attention sur ce qu'il fait, non sur la manière de le faire. Il doit dessiner à traits légers mais sûrs, absolument sûrs, et travailler avec une très grande rapidité manuelle, mais aussi mentale ; ce qui ne suppose pas du tout —comme beaucoup d'amateurs le croient— que le dessin soit un spectacle de cirque, un jeu de prestidigitation. Vous devez vous sentir habile ; car n'oubliez pas que nous sommes tous capables de l'être lorsque nous nous donnons corps et âme à un idéal déterminé. Soyez rapide, mais également mesuré ; combinez la rapidité avec cette autre condition essentielle :

LE CALCUL MENTAL

Calculez de tête, constamment de tête, distances et proportions. Il faut que vos yeux aillent et viennent sans arrêt, qu'ils sautent ici et là, de cette dimension qui vient d'être tracée à celle qui l'a été précédemment, de cette nouvelle mise en place à celles qui ont été calculées auparavant :

Vos yeux doivent travailler comme une horloge, constater, vérifier, comparer, TOUJOURS COMPARER. Je crois que l'artiste doit être capable alors de tout oublier. J'ai vu des artistes — cela m'est arrivé aussi — prendre des attitudes, faire des grimaces et des moues si ridicules qu'elles faisaient sourire le modèle. Mais qu'importe? C'est comme cela qu'on peut satisfaire la troisième condition requise pour un bon encadrement :

LA VISION SYNTHÉTIQUE

Et cela, dans une véritable fièvre créatrice ! «Embrassez» du regard le modèle tout entier ; voyez-le d'un seul coup comme il est : un grand ensemble de formes. Ce n'est pas en vain qu'Ingres recommandait à ses élèves : «Dessinez loin du modèle ; transformez-vous en géants qui dominent tout et voient tout». Nous n'avons pas l'habitude, dans la vie quotidienne, de voir les choses de cette façon, comme un tout; il faut faire un effort. Il faut tracer une ligne et en même temps parcourir toutes les autres en un clin d'œil. Il est nécessaire de voir les volumes séparément et de les associer au volume total. Le cerveau et les yeux doivent comparer continuellement les largeurs et les hauteurs des parties dessinées avec celles de l'ensemble, du tout.

Voilà qui est dit, et pourtant je ne suis toujours pas tranquille. J'ai rédigé ces paragraphes plusieurs fois en essayant de faire comprendre l'état d'esprit où se trouve l'artiste qui encadre et je m'aperçois, en fin de compte, que ces réactions presque psychologiques ne peuvent pas être concrétisées. Mais je suis sûr d'une chose : tout ce que fait l'artiste peut se résumer par le titre de ces trois paragraphes :

rapidité;
calcul mental;
vision synthétique.

Que chacun se souvienne de ces conditions et les mette en pratique à sa façon. Mais qu'il n'oublie pas qu'elles constituent une vraie base, sans laquelle ce qui a été enseigné jusqu'ici ne sert à rien.

LE CADRE-BLOC OU CADRE-VOLUME

Chaque fois que nous essayons de dessiner un objet ou un corps situé au-dessus ou au-dessous de notre niveau visuel, la perspective apparaît et implique la nécessité d'un encadrement par un volume, cube ou parallélépipède (cube à faces rectangulaires).

Ce qui a lieu généralement :

— *avec tous les objets de format plutôt réduit que l'on peut placer sur une table : vases, coupes, verres, assiettes, bouteilles, livres, boîtes, etc.*

— *avec tous les objets de format moyen qui reposent sur le sol et dont la hauteur est inférieure à celle du corps humain : c'est-à-dire les chaises, les meubles en général, les machines, les véhicules à deux et quatre roues, etc.*

— *avec le corps humain, quand nous le voyons d'un point situé plus haut ou plus bas que lui :*

— *en général, avec tous les édifices —même ceux qui sont d'une certaine grandeur, comme maisons, monuments, etc.— dont la forme est donnée à l'origine par le cube ou ses dérivés, comme le cylindre, le cône, la sphère, etc.*

Par contre, un personnage vu à un niveau normal —c'est-à-dire à la hauteur de nos yeux— ne se prête pas à l'encadrement par bloc. Une fleur —même placée sur un plan inférieur à celui de notre niveau visuel normal —n'est pas non plus un sujet qui se prête au cadre-bloc. Sa forme complexe et disparate se mettrait difficilement dans un cube. On peut en dire autant d'une pierre, d'un arbre, d'une plante, d'un ensemble de rochers, etc.

CONDITION PRIMORDIALE : ÊTRE CAPABLE DE VOIR UN VOLUME DANS TOUS LES CORPS

Rappelez-vous la célèbre formule de Cézanne : «Savoir réduire la forme des objets à celle d'un cube, d'un cylindre ou d'une sphère».

Rappelez-vous aussi que le dessin d'un cube, d'un cylindre ou d'une sphère se rattache nécessairement à la perspective.

D'ailleurs, au point où vous en êtes, savoir dessiner un cube en perspective est un problème qui ne recèle aucun secret pour vous. Cela ne dépend en tout cas que d'une chose : avoir dûment mis en pratique l'enseignement donné précédemment à ce sujet. Ainsi donc, il ne vous faut maintenant qu'une seule chose :

VOIR un volume dans tous les corps,

le voir comme une sorte d'urne de verre, une espèce de bloc, enserrant la forme. Vous devez, en outre, saisir que le volume du cube est au cadre-bloc ce que le carré était au cadre-linéaire ; vous pouvez donc, à partir d'un cube, parvenir à un cylindre, un cône ou une sphère, de même qu'en partant d'un carré, vous pouviez obtenir d'autres formes géométriques.

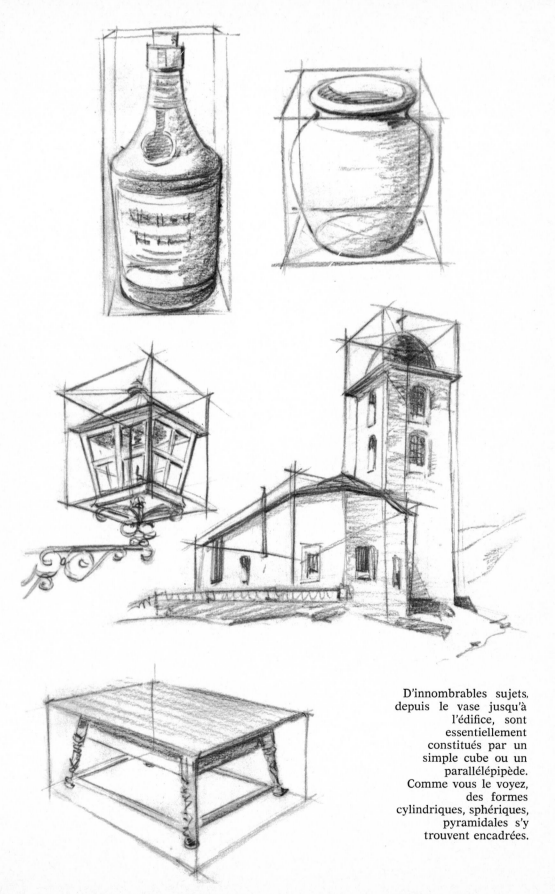

D'innombrables sujets,
depuis le vase jusqu'à
l'édifice, sont
essentiellement
constitués par un
simple cube ou un
parallélépipède.
Comme vous le voyez,
des formes
cylindriques, sphériques,
pyramidales s'y
trouvent encadrées.

Vous devez savoir enfin, qu'à partir de ces formes fondamentales peuvent naître une infinité d'objets, de sujets, de personnages, ainsi que vous le voyez sur les illustrations suivantes.

L'ENCADREMENT PAR BLOC APPLIQUÉ AU CORPS HUMAIN

Chaque fois que le corps humain est dessiné d'un point de vue situé plus haut ou plus bas que lui, la perspective intervient : c'est pourquoi on peut enfermer un personnage dans un cube, ou l'une de ses formes dérivées.

Les problèmes de raccourci peuvent être résolus aussi par un encadrement à base de cercles et de cylindres, étant donné que le corps humain, y compris ses extrémités, est essentiellement «un cylindre articulé».

ACTUALITÉ DE LA FORMULE «UN VOLUME DE VERRE»

Que vous construisiez par le cadre linéaire ou géométrique, par le cadre-bloc ou volume, rappelez-vous toujours la nécessité d'appliquer la formule «un volume de verre», c'est-à-dire de construire les corps comme s'ils étaient transparents.

Et cela, non seulement lorsque vous dessinerez un modèle isolé, mais encore, lorsqu'il s'agira d'un ensemble de corps, d'une nature morte composée de plusieurs éléments, de l'intérieur d'une pièce ou même d'une composition, où entreront deux ou plusieurs personnages.

Illustrons cela par des exemples et des images :

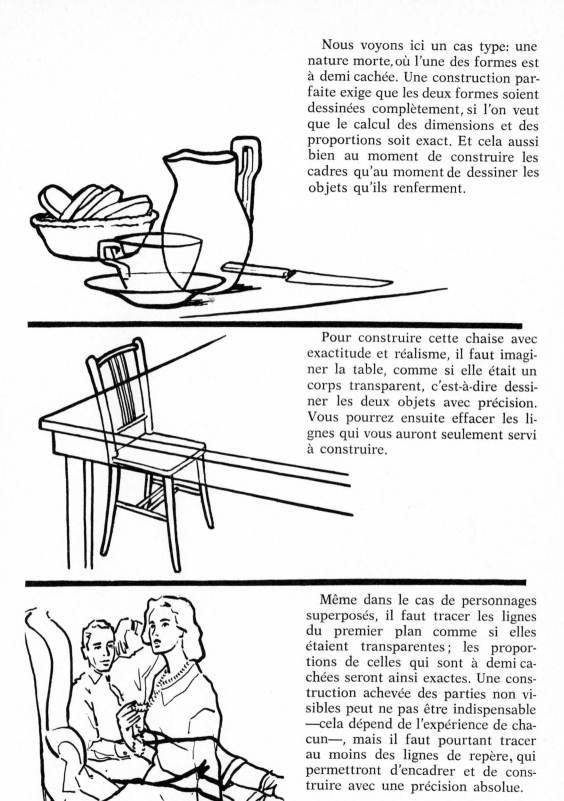

Nous voyons ici un cas type: une nature morte, où l'une des formes est à demi cachée. Une construction parfaite exige que les deux formes soient dessinées complètement, si l'on veut que le calcul des dimensions et des proportions soit exact. Et cela aussi bien au moment de construire les cadres qu'au moment de dessiner les objets qu'ils renferment.

Pour construire cette chaise avec exactitude et réalisme, il faut imaginer la table, comme si elle était un corps transparent, c'est-à-dire dessiner les deux objets avec précision. Vous pourrez ensuite effacer les lignes qui vous auront seulement servi à construire.

Même dans le cas de personnages superposés, il faut tracer les lignes du premier plan comme si elles étaient transparentes; les proportions de celles qui sont à demi cachées seront ainsi exactes. Une construction achevée des parties non visibles peut ne pas être indispensable —cela dépend de l'expérience de chacun—, mais il faut pourtant tracer au moins des lignes de repère, qui permettront d'encadrer et de construire avec une précision absolue.

« *CONNAIS TON MODÈLE AVANT DE LE DESSINER* »

Cette phrase de Delacroix résume en quelques mots tout l'art de construire et de dessiner.

Il y a bien une raison à la prédilection marquée que Brueghel l'Ancien avait pour les natures mortes; le nom de Renoir s'associe à ses nus, tandis que Degas a été essentiellement le peintre de la danse. Murillo a été appelé «le peintre de la Vierge»; et Dali se plaît à faire souvent des personnages religieux en de hardis raccourcis.

Tous ont éprouvé un plaisir particulier à peindre le thème qui leur était le plus familier. Les sculpteurs Barye ou Pompon ont dessiné des centaines d'animaux. Nous pourrions imaginer Barye devant un cheval, «dépouillant» celui-ci de sa chair, le voyant sous sa forme de squelette dans sa structure anatomique la plus parfaite, et récitant par cœur : «Ici, ce tendon; là, telle protubérance. "

C'est de cette profonde connaissance du modèle que naît la spécialisation, que l'on désigne tel peintre comme portraitiste, tel autre comme paysagiste. Si nous voulons approfondir encore et classer, nous trouverons des peintres de marines, de paysages urbains, de paysages ruraux, de natures mortes.

Avec le temps, il est possible que vous vous sentiez une affinité plus grande pour certains thèmes que pour d'autres.

En attendant, essayez de *connaître* vraiment votre modèle avant de le dessiner : c'est une règle pour bien construire. Observez-le sous différents angles; regardez-le, non seulement du côté où vous allez le reproduire dans votre œuvre, mais aussi derrière, de côté, par-dessus... et même par-dessous si c'est possible. Pénétrez-vous de son sorps, de son volume, des formes que vous saisirez ensuite de «face». Cherchez à savoir «comment il est, de quoi il est fait, comment il est fait». Lawson, dessinateur américain, maître de la perspective et de la construction, disait qu'avant de dessiner un tabouret, il faut le soulever, le soupeser, le regarder comme si l'on devait le construire réellement, avec le même bois, «composé de pattes rigides, disposées selon un angle calculé pour leur donner la solidité et la résistance la plus grande, et fermement fixées au siège». Celui qui, à son goût pour le dessin, ajoute un réel souci du détail de la forme, celui-là est certes destiné à devenir un véritable artiste. Tel Léonard de Vinci qui, non content de voir ses modèles, allait furtivement à la morgue pour fouiller dans les entrailles des morts afin de mieux comprendre les formes des vivants.